物語の

語りに潜むことばの不思議

言語学

甲田直美

ひつじ書房

本書の構成

　本書は、言語学、日本語学、物語論をはじめて学ぶ方を対象に、読者の皆さんがことばを具体的に観察できるように、基礎から最新の研究成果までを、総合的に論じた書です。

　本書の最大の特徴は、物語、神話、マンガ、うわさ、都市伝説、ナラティブ・ケア……といった身近な物語の事例を用いて言語学を捉えたことです。

　「物語」「語り」の事例から、音声、文字、意味、文法、世界の諸言語の対照、さらには物語論、文体論、会話分析について、具体的に解説しました。構造主義、シナリオ術、サブカルチャー、ケアと自己物語といった話題をとおして、文化、芸術、メディア、フィールドワークなど、人類と文化を考える裾野が広がっていくことでしょう。

　人間を惹きつけてやまない物語や語りの魅力をとおしてことばを観察し、ことばから人類と文化、そして物語や語りの本質を探ります。

　物語はことばによって作られています。ことばを研究する分野に言語学、さらには個別の言語を扱った個別言語学（日本語学、英語学など）という分野があります。本書は、物語を具体的に考えながら読み進めることで、言語学とその隣接領域について、一定の知識を得ることができるようになっています。本書は物語を軸に、以下のように展開します。

序　章　　物語と人間：物語を歴史的に享受してきた人間との関係
第Ⅰ部　　物語から描く言語学の世界：ことばの分析の基盤
第Ⅱ部　　物語の技巧と文化：世界中に広がる物語の成り立ちや広がり
第Ⅲ部　　物語をとおして「わたし」を知る：物語る自己との関係
付　章　　物語のフィールドワーク：物語を調査したい方へのツールの紹介

　本書は、初めて物語や言語学の世界に足を踏み入れる人にでも興味を持ってもらえるよう、マンガやアニメ、映画、文学作品などを取り入れながら、

言語研究の見取り図を提供することに努めました。全体がわかれば、この後は各分野の専門書に当たっていく体力がつくと思います。

　表に各章と関連する言語学の分野を示しました。第Ⅱ部の物語論とマンガ、ドラマ等を扱った部分は、言語学では扱わないことが多いと思いますが、文学作品の技巧はことばによって実現されているので取り上げました。

各章のタイトルと言及した言語学の分野

	章	章のタイトル	言及する主な分野
	序章	物語と人間	
第Ⅰ部	第1章	『星の王子さま』に見る世界の言語	比較・対照言語学
	第2章	物語と談話の法則	文法論
	第3章	音と耳から考える物語	音声学
	第4章	物語の翻訳	意味論
	第5章	物語と時間	談話分析
	第6章	構造主義と神話研究	音韻論
	第7章	物語作品の享受と分析	文体論
第Ⅱ部	第8章	物語の技巧	※物語論
	第9章	物語の共通性	※物語の類型論
	第10章	ドラマ・アニメの構造とシナリオ術	※シナリオ術
	第11章	マンガ、遊び、サブカルチャー	※文化論
	第12章	マンガと視点現象	※マンガ学
第Ⅲ部	第13章	雑談と「もの」語り	会話分析
	第14章	自己を語る、ケアの物語	語用論
	第15章	コミュニケーション・ツールとしての物語	※コミュニケーション論
	付章	物語のフィールドワーク	

※通常、言語学では扱いませんが、物語論の重要な要素として取り上げました。

　序章を含め第Ⅰ部（第1〜7章）と第Ⅲ部（第13章、14章）の合計10章は、ことばの探求を、物語という新たな視点から見直すものです。各章独立して読めるようになっており、ことばのみならず、言語文化論、メディア論、芸術、文学に関心のある方にとっても、どの章からでも読めるようになっています。

　本書をとおして未来への知の探求に参加することができますように。

2024年1月
筆者

📁 ファイル　🔊 音声

本書で取り上げた事例のうち、これらのマークが付いたものは、インターネット上でファイルまたは音声が視聴できるようになっています。
URL: https://sites.google.com/view/naomikoda/monogatari

目次

第Ⅰ部　物語から描く言語学の世界

第II部　物語の技巧と文化

第III部　物語をとおして「わたし」を知る

物語と人間

物語は数千年の時をとおして、世界のいたるところで、多様な形で再現され続けてきた。本章では、物語と人間との長い歴史、関係を概観し、物語をとおして人間とことば、文化との関わりを探求する本書の展開に備える。

1. 身近にあふれる物語

物語とは何であろうか。「物語」ということばがつくものを挙げてみよう。

「源氏物語」（紫式部）、「堤中納言物語」（著者・詳細な成立年代は不詳、「虫愛づる姫君」などの短編集）、『化物語』（西尾維新）、『指輪物語』（J.R.R.トールキン）、「サントリー樽ものがたり」（ウイスキーを熟成した樽を家具へ生まれ変わらせて販売している）、「大江戸温泉物語」（風呂屋の名称）、「伊予灘ものがたり」（JR四国観光列車）、「保険物語」（保険の販売・見直し）、「チャコの海岸物語」（サザンオールスターズ）、「物語シリーズ」（パチンコの台）……。

今度は、「これは物語だ」と思うものを挙げてみよう。

図1 なぜ物語？ 大江戸温泉物語

「桃太郎」「かぐや姫」『ノルウェイの森』（村上春樹）、『進撃の巨人』（諫山創）、「ドラえもん のび太の宇宙小戦争」（藤子・F・不二雄）、「グリム童話」（グリム兄弟（編纂））……。『指輪物語』『化物語』のように「物語」と付いていれば、物語だといえそうだが、『ノルウェイの森』は物語なんだろうか。小説といった方がしっくりくる。

「小説」ということばは近代になってからのことで、坪内逍遥の『小説神髄』(1985-86) で novel の訳語に「小説」が使われたのが早い段階での定着を示している。「小説」の方が、主題を詳しく掘り下げる、といったイメージだろうか。これに対して、物語の方は、精緻な描写を欠いているものも含まれる。子どもを寝かしつけるときに、「桃太郎」や「かぐや姫」などの「物語」を語って聞かせても、本を見ずに『名探偵コナン』(青山剛昌作の推理マンガ)や『モルグ街の殺人』(1841年に発表されたエドガー・アラン・ポーの短編推理小説) を語って聞かせたり、あるいは主題を深く掘り下げたり、視点を固定した情景描写を入れ込んだ小説らしいものを語ることは、あまりないと思う。

2. 物語と人類の歴史

物語ることは、人類が自然発生的に4000年以上の歴史をかけておこなってきた行為である。人類は歴史のなかで物語を語り、共有してきた。

はるか昔、「ギルガメシュ」という、古代メソポタミア(今でいう、イラクの南のあたり)の伝説的な王を巡る物語が、楔形文字で粘土版に記されているのが見つかっており、遅くとも紀元前3千年紀末には成立していた (月本昭男 1996: 300)。楔形文字とは、メソポタミア文明で使用されていた古代文字である。水で練った粘土板に、葦を削ったペンで文字を刻んだ。文字としては人類史上最も古いものの1つである。

物語の歴史がこれほどまで古いのには驚くが、それだけではなく、この世界最古の英雄物語には、戦友との出会い、戦友との英雄的な遠征の旅、そして後半には友の死を契機として、永世探求の、生きる意味を求める孤独な旅まで描かれているのである。

ギルガメシュは母が女神、父が人間で、3分の2が神、3分の1が人間とされるが、不死の神ではなく、(死にうる) 人間として描かれる。ギルガメシュはなぜ100パーセント神の血を引いた者ではないのだろう。死んでしまう可能性のある人間の血を引くのは、この英雄が神の世界と人間の世界の橋渡しをしているからなのだろうか。英雄談としてその強さだけを誇るのではなく、その中に共感できるドラマが込められている。このような読者や聞き手を引

き込む力を物語は持っている。

　古代の物語がこれほど豊かなストーリーを内包していること、そして、多くの粘土板の出土によって、数千年はるか昔の人類の思考の痕跡を文字が保存し、それが物語として甦ることに感銘を受ける。

　粘土板のうち、最も有名なのが、1872年、イギリスのジョージ・スミスが発見した洪水伝説を記す書板（第11の書板と呼ばれる）である（図2）。旧約聖書のノアの方舟の原型と考えられるからである。その書板は大英博物館に展示されている。

図2　洪水物語を記す書板（大英博物館蔵）[01]

127　六日　[と六]　晩
128　il - lak ša-a-ru a-bu-bu me-ḫu-u i-sáp-pan KUR
　　　押しよせた　風　　洪水・台風　　荒らした　国土(mâti)
129　si-bu-ù u-mu i-na ka-ša-a-di ……šu-ú a-bu-bu qab-la
　　　七（日目の）日　　が来ると　[負けた]　洪水の嵐　戦い
130　ša im-taḫ-ṣu　　kima ḫa-a-a-al-ti
　　　それが戦ったところの　のように　軍隊
131　i-nu-uḫ A-AB-BA-uš ḫa-ri-ir ma im-ḫul-lu a-bu-bu ik-la
　　　静かになった・海(tâmti)・静まった　嵐・洪水　引いた

図3　粘土板に刻まれた楔形文字（アッシリア語版）とその解読：大洪水の物語をスミスが解読した箇所、読み方と訳注。
（矢島文夫 1998: 209–210）

（1）　　洪水物語の日本語訳（ギルガメシュ叙事詩）

127　　六日　[と六]　晩にわたって
128　　風と洪水が押し寄せ台風が国土を荒らした
129　　七日目がやって来ると洪水の嵐は戦い　[に負けた]
130　　それは軍隊の打合いのような戦いだった
131　　海は静まり、嵐はおさまり洪水は引いた　　（矢島文夫1998: 209–210）

　数字の6が6本の線でできているのがわかるだろう。KUR（国土）、A-AB-BA（海）はシュメール語を借用している部分である。

メソポタミアの地域に古い物語が残るのは、この地域に早くから文明が発達し、文字を生み出していたからである。文明の発達とともに記録の必要性（例えば採れた小麦の数を記録するなど）が高まった。レヴィ＝ストロース (Lévi-Strauss 1979) は、文字というものは、知識を強固にするには十分ではなかったにせよ、支配を確立するためには不可欠だったと述べている。

図4 物語の歴史　4000年

　その後、古代ギリシャの哲学者アリストテレス（前384年–前322年）はその著『詩学』において文芸を論じた。文学や物語作品を吟味することは、人類が幾千年にわたって行ってきた世界と心の観察から生まれた。

　人類の歴史とともに、物語は長い道のりを歩んできた。人間は、文字による物語を4000年以上描き続けてきた。なぜ人間は物語を描き続け、あるいは伝え続けるのか。

　本書は、その秘密に迫りながら、物語と言語、人間、文化を観察する。空想や虚構を含む物語が古くから存在し、現在も身近にあふれることは、ことばが情報を伝えるためにあると考えるなら、ある意味不思議である。なぜなら、生物の生存のためには、食料のありかを正確に伝え合うことが重要であるはずだからである。

　ボイド (Boyd 2017) は、生物の進化からいえば、物語の虚構性は意外なものであると指摘する。生物の進化は、環境から正確で関連性の高い情報を引き出すことができる生命体を好むのに、人間は語り手も聞き手も信じないような話に多くの時間を費やしているからである。これは人間の言語の特徴の1つであり、他人の想像をかき立て、個人の体験を垣根を越えて他人へと伝え、そして経験を共有することを可能にするものである。

　人類が数千年にもわたって維持してきた物語は、ことばを紡ぎ、織りなしてできたものである。物語は人類の歴史と深く関わり、そして、多くの学問

分野から注目されてきた。物語からことばの特質を描くことで、ことばのある種の本質を捉えられるのではないかと思う。

　人間の性質という光に照らしてみると、ことばの科学はおそらく、ことば遣い、ことばの選択を実証的に示すことができる科学である。その光に照らすことで、ことばの科学は人間性への深い洞察を与える。

　本書では、物語や人々の語りという行為を、ことばという具体的なアプローチ法から捉えようと思う。物語、語ることは、新たな自分に気づかせてくれる。あるいは、見知らぬ土地の見知らぬ人々の語りは、新たな世界観を与えてくれる。物語は力強い行為である。

3.　物語と語り──いくつかの用語の解説

　本書の多くの部分では「物語」という用語を用いる。そして、本書の後半（第Ⅲ部）では「語り」、「ナラティブ」という用語が多く出てくるだろう。「物語」が語られたことの中身、内容に焦点を当てることが多いのに対し、「語り」と「ナラティブ」は「語ること」自体に焦点を当てる。

　詳しくは後で随時解説するが、ここで少しだけ、用語の説明をしておく。

　【物語】の大きな特徴は、時間的展開を持つ話ということである。登場人物からいえば体験的要素を持つ話である。体験性としては、例えば、プレイヤーが特定の役割を演じるタイプのゲーム（RPG：ロールプレイングゲーム、例として「ゼルダの伝説」（任天堂）など）を思い浮かべてもらいたい。そこではキャラクターの能力値の成長や世界の探索という体験的要素が多く使われている。

　また、物語の多くは、ドラマ性といった感情への効果を含む。動機と呼ぶ人もいる。

　例えば「○○（皆さんの名前を入れてみよう）物語」とか「○○（皆さんの地域を入れてみよう）物語」（筆者の場合、「仙台物語」となる）を作るとして、単に生い立ちや歴史、状況を述べるというより、その中にこれまでの経緯や人間の感情も描かれることが多いと思う。「東京物語」というタイトルは実際に小津安二郎監督で1953年に公開された日本映画だが、登場人物（上京した年老いた両親とその家族たち）の姿が描写されている。

一方、【語り】は【物語】を「語る」というように、より広い概念である。「語り」ということばには、「語る行為」と「語られた（その結果としての）物語」という2つの意味が込められている。語りのなかには、創作物以外に、体験談やうわさなど日常の語りも含まれる。英語での「ナラティブnarrative＝語り、語られたこと」に相当する。だから「語り」、「ナラティブ」とは総括的な概念だといえる (Georgakopoulou 2011[02]: 30)。「語り」は、もともと雑多にいろいろな「もの」を語るという意味を持つ。

　本書では、「桃太郎」や「シンデレラ」のような語り継がれてきた物語だけではなく、雑談の中で語られる小さな話、体験談、うわさ、都市伝説といった「語り」と呼ばれる現象も扱う。「桃太郎」のようにある種定型化したものに対して、雑談内での体験談のように即興で語られた場合には「語り」という語を用いる。

　他に英語から来たことばとして、【ストーリー (story)】は、出来事の連鎖に焦点があり (Chatman 1978)、出来事間の動機や理由を含む【プロット (plot)】と区別されている。

　物語に対し、特定の作者の存在を含意する【小説】がある。小説は書かれた作品としてあり、視点の固定、描写など技巧が凝らされたものも多い。【文学】は、小説、物語のような散文だけではなく、韻文（一定の韻律と形式を伴った文章）をも含む。文学の審美性を問題にする場合、芸術の一種として文学という用語が用いられる。

　「語り」と「ナラティブ」は同等の意味とするが、ナラティブ・アプローチ、ナラティブ・ケアなどの分野において当該研究者がナラティブと呼んでいる場合はそれを踏襲する。

4. 物語と集団形成

　継承された物語や文学は、小説や童話、語り聞かせ、マンガやアニメ、映画に至るまで、人間の精神生活を潤し、楽しませ、そして活力となってきた。食物を探し、食べ、眠り、子孫を残すことは人間も他の動物と同じだが、ことばで意思疎通をし、計画を立て、策略を図ることで自分より大きな

生物をも支配してきたことは、ヒトの大きな特徴である。語る言語、もっといえば価値観やビジョンがなければ、用意周到な計画も、集団を維持することもできなかっただろう。

　ホモ・サピエンス (Homo sapiens) は、ラテン語で「賢い人間」の意味である。フィッシャー (Fisher 1984) は人間をホモ・ナランス (Homo narrans：語る人) と呼んだ。人間が物語を語り、共有することが、人間の本質的機能と考えたのである。コミュニケーション手段としての言語の力は、人間の持つ強力な武器ということがわかる。交流し、付き合いを維持し、集団を束ねるためには、お互いの日常や夢やビジョンを共有することが必要である。このためにことばは重要な役割を担ってきた。何かを精密に吟味し、明確に指し示すことだけがコミュニケーション手段ではない。進化人類学者ロビン・ダンバー (Dunbar 2010) は、猿の毛繕いを人間のゴシップや世間話に匹敵させている。猿はお互いの関係を維持するために毛繕いをし合うが、人間は関係や集団を維持するためにゴシップ、世間話といった雑談をしているという。それは決して、上意下達的な宣言文の集合ではなく、人と人の緩衝材のようなことばである。

　物語は集団を束ねるのにも用いられる。宗教の経典や神話が物語の形式をとっていることからも、それはうかがえる。ヒトは精緻な言語を扱うだけではなく、他者の感情に共感し、他者の感情を導引して、大きな群れを作ってきた。集団のサイズを大きくすることにより、他の群れを圧倒し、支配してきた。これを悪用し、国民を洗脳し扇動するために物語が使われてきた例は、歴史上数多くある。第二次世界大戦中の日本も愛国神話を信じていた。ある種の物語——時にそれは、限定され、歪曲した視点から生み出された物語だったが——、多くの人はそれを信じ、戦争の道へ進んだ。こうした物語の悪用を避けるためにも、物語の持つ力について見極める必要がある。

5.　物語の影響力とメディアの多様性

　物語、ナラティブへの注目が高まっていることを示す例として、近年出版された英語の書籍の本文中に「narrative」という語が登場する頻度の割合を

見てみる (図5)。googleのGoogle Ngram Viewerを使うと、過去数十年の間に出版された本の大部分を対象に、特定の語が本文中に現れる頻度の割合を調べることができる。オルソン (Olson 2015) では1950年頃からのデータが図示されているが、ここでは100年くらいのスパンで変化を広く見るため、1920年以降を図示する。

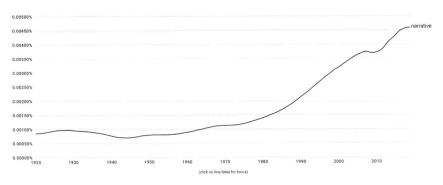

図5 Google Ngram Viewerによる1920年以降の「narrative」の頻度の割合
（データ取得日：2023年6月25日）

図5から、1980年以降、narrativeという語の頻度が上昇していることがわかる。

物語への注目は、至るところに見られる。2013年にノーベル経済学賞を受賞したシラー (Shiller 2019) によるナラティブ経済学では、物語という形でのアイディアの口承伝搬を描いている。

広告などのマーケティングでは、ある種の広告を物語型広告と呼び、商品の詳細を主として伝える情報提供型広告と区別される。物語型広告の特徴としては、福田怜生 (2018) が概観するように、時間軸、登場人物の進展、プロット、広告内で生じる複数の出来事の因果関係の存在が物語型の表現特性とされている。情報提供型よりも、身近に感じやすく、「感動」や「泣ける」「笑える」といったことばがキーワードとなり、人々の共通の話題として取り上げられると共に、視聴者の行動や態度の変容を促しているという。

例えば、ソフトバンクのCMはいくつかの出来事を含む世界の広がりを表

し、物語型の一種であるといえる。架空の家族「白戸家」と「お父さん」犬（白い犬）という設定が2007年以来、継続して用いられている。登場人物が問題を乗り越えていく様を描くものではないが、CMごとに繰り返される登場人物の設定は物語の1つの特徴であるキャラクター設定と通じる。登場人物の会話から醸し出される面白さといった情意面を利用していることも物語の特徴である。

製品やサービスの命名（大江戸温泉物語、パチンコの「海物語」（三洋物産（株））、YKKAPによる窓の宣伝（「窓と人と猫が織りなす物語」））に「物語」ということばが使われている例がある。これらはいわゆる物語自体ではないが、物語の展開性が背後にあるかのような表現効果を持っている。

このように物語は広く用いられている。私たちは幼少の頃から絵本や読み聞かせをとおして物語に触れる機会があり、その後も、児童文学や小説、現代でいえばマンガ、ドラマ、映画など、物語は様々な媒体（メディア）で展開されている。マンガでいうと、『ドラゴンボール』、『ONE PIECE』（ワンピース）、『鬼滅の刃』、『名探偵コナン』など、発行部数はどれも数億部を超している。多くの人に受容される作品はその時代において大きな影響力を持っている。

メディア（media）とは「媒体・手段」の意味を持つ英語「medium」ということばの複数形である。何らかの情報やメッセージを相手に伝える媒体や手段として用いられる。言語は媒体（メディア）の1つであり、人間の情報伝達の重要な役割を担っている。

物語は、言語だけではなく絵や映像を伴い、さまざまなメディアをとおして伝えられる。物語とは、さまざまなメディアによって伝えられる内容（メディア・コンテンツ）であると同時に、媒体（メディア）でもある。私たちは、物語という形式をとおして信念や価値観を保存、継承し、それを私たちは見たり聞いたりすることができる。

近年の科学技術の進歩による情報のデジタル化、ネットワーク網の発達はメディアの変容を生み出した。人々は情報をモバイル化し、これまでとは異なった形で情報発信と社会的関係を築くに至った。

本書の後半で扱う、人々が語るうわさは、ソーシャルメディアの発展によ

り、実社会に広く拡散されるようになり、大きな社会問題となっている。う わさは、最も古くからあるメディア (Kapferer 1987) であり、かつては情報を得 る貴重な手段だった。

　物語、そして物語ることは、私たちの生活と深く関わっている。

6.　物語研究の広がりと本書の概観

　物語を研究する分野は多岐にわたる。日本文学や英文学などの文学研究、 言語学、人類学、社会学、心理学、文芸批評、看護などの実践場面など、多 くの分野で行われてきた。本節では、本書で扱う物語の研究分野を紹介す る。図は本書に登場する研究分野と研究対象名の重要性 (とAIが判断した結果) を 文字の大きさで表示した WordCloud である。

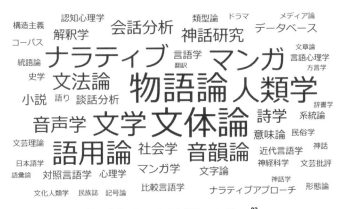

図6　本書で言及した研究分野の WordCloud [03]

　図から多くの領域が登場することがわかる。物語作品における言語表現 は、言語学の諸分野 (音声学、意味論、文法論、談話分析、文体論など) をとおして具体 的に分析することができる。現実に使用されたことばであることから、コー パスやテキストマイニング、文体論とも親和性が高い。言語学に詳しい方な ら、物語という1つのジャンルから、いったいどれくらい言語学を見渡せる か疑問に思われるだろう。しかし物語を検討することで、朗読における音

声、文字による記録、翻訳から見えてくる意味の対応など、幅広く見ることができる。

　言語芸術としての文学研究では、他の芸術、娯楽作品と同様に、その技巧や特徴が注目されてきた。文学の芸術性、大衆性は私たちの精神活動に圧倒的な影響力を持っている。また、人類学は各地における物語や神話を収集・分析している。人類学、社会学における民族誌の物語的な語り方は、物語の形式が研究対象としてのみならず、伝える方式として読み手に訴えるからであろう。アメリカ構造言語学はアメリカ・インディアンの民話や神話を収集し、そのテクストを分析対象としていた。民俗学は日本の各地に伝わる民話・伝承を収集してきた。

　語ることに関していえば、人が語る物語には、語る人の自己や人生が色濃く表れていることがある。語ることは「わたし」を表現することである。語りから人生を捉え、再構築するアプローチは、ナラティブ・アプローチと呼ばれ、看護やケアという実践的領域で用いられている。また、語りは、会話分析という詳細に会話を記述・分析する分野でも扱われている。

　これまで多くの分野が物語や語りに関心を寄せてきた。それは、「物語る」ことが人間の情意面や人間の全体性と関わるからである。物語というキーワードによって、言語研究に隣接する分野の広がりが描かれるだろう。

　本書では、全ての領域を辞書の項目のように羅列的に説明するのではなく、「物語」という言語現象をとおして、人間とことばの関わりを問い続け、その中で説明する。言語を持つことは人間の大きな特質である。本書を読み終える頃には、人間の本質を問う領域である人文科学分野の基礎的な知識（の一部分）が身についていることと思う。

第Ⅰ部

物語から描く言語学の世界

第1章

『星の王子さま』に見る
世界の言語

　物語の中には、多くの言語で翻訳されているものがある。サン＝テグジュペリ (de Saint-Exupéry) の『星の王子さま』、ルイス・キャロルの『不思議の国のアリス』、最近ではJ・K・ローリングの『ハリー・ポッター』シリーズがある。翻訳によって、他の言語の作品に触れることができるが、一方で、言語間の完全な翻訳は困難である。

　本章では、数多くの言語に訳されている『星の王子さま』の翻訳を比較・対照し、世界の言語を概観する。

1. 『星の王子さま』と翻訳

　『星の王子さま』は、フランス語ではLe petit prince、直訳すると「小さい王子」だが、日本では岩波書店が独占的な翻訳権を有していたこともあり、内藤濯が訳した「星の王子さま」という訳が定着した。しかし原著の日本における著作権の保護期間は、サン＝テグジュペリのフランスにおける消息不明期間の満了日である1945年9月20日を起算日として、2005年1月22日に満了した。これによって論創社・宝島社・中央公論新社など数社から相次いで新訳が出版された。

　サハラ砂漠に不時着した操縦士の「ぼく」は、1人の少年と出会う。その少年は、ある小惑星からやってきた王子であり、「ほんとうのこと」を求める純粋な王子さまである。

2. 世界の『星の王子さま』

　世界中に『星の王子さま』のファンは多く、各言語で翻訳がなされている。中には、絶滅した言語(ゴート語、古代エジプト語)、人工言語(エスペラント)、ピジン(例：Hawaiʻi Pidgin)、クレオールまで出版されている。風間伸次郎・山田怜央(編、2021)ではこの作品を用いて世界28言語を紹介している。風間らの試みは異なる場面を各言語で示したものだが、以下では同一の場面(キツネとの出会い)が各言語でどのように翻訳されているかを比べ、各言語の特徴を見る。日本語、中国語、フランス語(原文)、英語、ハワイ語、ハワイ・ピジン、古代エジプト語、エスペラントを見てみよう。

　中には、見慣れない言語もあるが、「こんにちは」を何というか、「きみ、だれだい？」にある「？」(クエスチョンマーク)、繰り返し出てくる語(キツネ)などを起点に比べてみよう。

①日本語
　すると、そこへキツネがあらわれました。
　「こんにちは」と、キツネがいいました。
　「こんにちは」と、王子さまは、ていねいに答えてふりむきましたが、なんにも見えません。
　「ここだよ。リンゴの木の下だよ……」と、声がいいました。
　「きみ、だれだい？　とてもきれいなふうしてるじゃないか……」と、王子さまがいいました。
　「おれ、キツネだよ」と、キツネがいいました。

(星の王子さま、内藤濯(訳)岩波書店)

図7　キツネが現れる (de Saint-Exupéry 1946)

②中国語

就在这时，狐狸出现了。

"你好，"狐狸说。

"你好，"小王子很有礼貌地回答，他转过身，却什么也看不到。

"我在这里，"那声音说，"在苹果树下。"

"你是谁？"小王子说，"你很漂亮……"

"我是狐狸，"狐狸说。

（小王子、李继宏：訳、天津人民出版社 2012）

③フランス語（原文）

C'est alors qu'apparut le renard:

—Bonjour, dit le renard.

—Bonjour, répondit poliment le petit prince, qui se retourna mais ne vit rien.

—Je suis là, dit la voix, sous le pommier...

—Qui es-tu? dit le petit prince.

Tu es bien joli...

—Je suis un renard, dit le renard.

（Le Petit Prince, de Saint-Exupéry, Antoine, Paris: Gallimard 1946）

④英語

It was then that the fox appeared:

"Good morning." said the fox.

"Good morning." responded the little prince politely,

who then turned around, but saw nothing.

"I'm right here," the voice said, "under the apple tree..."

"Who are you?" asked the little prince.

"You're very pretty."

"I'm a fox," the fox said.

（The Little Prince, David Wilkinson: 訳, Omila Languages 2011）

⑤ハワイ語

I ia manawa i hiki mai ai kekahi ʻalopeka:

"Aloha kāua," wahi a ka ʻalopeka.

"Aloha nō kāua," i pane ai ke keiki aliʻi liʻiliʻi ma ke ʻano ʻoluʻolu,

iā ia i huli ai a nānā a ʻaʻohe āna mea i ʻike ai.

"Eia wau ma neʻi nei," wahi a ka leo, "ma lalo o ke kumu ʻāpala."

"O wai ʻoe?" wahi a ke keiki aliʻi liʻiliʻi. "Nani nō ʻoe…"

"He ʻalopeka wau," wahi a ka ʻalopeka.

（Ke Keiki Aliʻi Liʻiliʻi, Keao NeSmith: 訳, Edition Tintenfaß 2013）

⑥ハワイ・ピジン（Hawaiʻi Pidgin）

As when da fox had show up.

"Howzit," da fax tell.

"Howzit," da small pitot prince tell all polite; he go turn fo look,

but he neva see notin.

"I stay right hea," da voice tell, "unda da apple tree."

"Who you?" da small pitot prince tell. "You so pretty…"

"I one fox," da fox tell.

（Da Small Pitot Prince, Keao NeSmith: 訳, Edition Tintenfaß 2016）

⑦古代エジプト語

（𓅱𓃭𓆑𓏤, Claude Carrier: 訳, Edition Tintenfaß 2017）

⑧エスペラント

EN TIU MOMENTO APERIS la vulpo:

— Bonan tagon! diris la vulpo.

— Bonan tagon! ĝentile respondis la eta princo. Li turniĝis, sed nenion vidis.

— Mi estas tie ĉi sub la pomarbo...diris la voĉo.

— Kiu vi estas? diris la eta princo. Vi estas ja beleta...

— Mi estas vulpo, diris la vulpo.

（La Eta Princo, Pierre DELAIRE: 訳, KANADA ESPERANTO-ASOCIO 2016）

①日本語は漢字とひらがなで書かれている。ひらがなは日本語の発音の単位である音節を表す（例：か：ka）。ことばが意味を持つまとまりの単語の最小単位（形態素という）は膠（にかわ）でつなげたように接着し（膠着語）、句読点を除けば英語のような語間のスペースはない。

②中国語は簡体字であるが、漢字であるので意味が推測できる部分があるだろう。「狐狸、出現、小王子、我」などを対応させてみよう。習っていなくても何となく意味がわかるだろう。

③フランス語、④英語、⑤ハワイ語、⑥ハワイ・ピジン、⑧エスペラントはラテン・アルファベットで書いてある。アルファベットは表音文字のうちの音素文字の一種で、多くのインド・ヨーロッパ語族（インド・イラン語派を除く）で使われている。語族とは言語の系統分類で言語を親族に見立てた用語である。語派とは語族の下位の単位をいう。ハワイ語は別系統の言語だが、もともと文字を持たなかったため、ラテン・アルファベットで表記されている。自然発生的な言語の中で、音声を持たない言語はないが、文字を持たなかった言語はある。日本語もかつては文字を持たなかったので近隣の文明国である中国の文字を採用した。

英語とフランス語を比べるとappeared/apparut、prince、responded/répondit、politely/poliment など、大変似ている。しかしこれらは英語がフランス語から借用した語であり、同一語族に属することとは直接には関係ない。地域が隣接していたり、政治その他の理由から言語間で共通の語彙を持つことがある。

ハワイ語は、オーストロネシア語族に属し、英語とともにハワイ州の公用語に指定されている。挨拶Alohaはよく知られているだろう。開音節言語(音節が母音で終わる言語)である点は日本語と似ている。世界では多くの言語が絶滅しつつあり(Crystal 2000)、ハワイ語も同様である。併用する大きな言語(英語)に勢力を奪われるからである。少数言語を維持するためには、政府などの共同体全体による働きや文化の継承が不可欠である。就業や学校教育場面で多数派の言語が力を持つことが多々あるからである。フラや音楽などの文化はハワイ語再活性化にとって不可欠な要素である(松原好次 2006)。

　⑥は英語を元にしたハワイ・ピジンであり、現地のことばであるハワイ語とは異なる。ピジン(pidgin language、または単にpidgin)とは、貿易や植民地化などで共通の言語を持たない人同士が意思疎通のために生み出した接触言語である。母語ではなく、「間に合わせ」の言語である。完全に外国語が習得されることはないので、もとの言語は簡略化されて習得される。それが定着し、ピジンを生まれながらに母語として使用する人々による混成語をクレオールという。the→da、for→foは発音が簡略化している。appeared→had show upは過去形edをつけずにhadで過去を示している、「現れる」appearを用いずshow upを用いるなど、少ない語彙でやりくりする様子がうかがえる。

　⑦古代エジプト語は聖刻文字(ヒエログリフ)で書かれている。現在使われていない言語だが、何度か出てくる🦊がキツネ、2行目と3行目で2度繰り返される部分が「こんにちは」だと推測できる。

　⑧エスペラントは1887年、ポーランドの眼科医ザメンホフ(L. L. Zamenhof)が考案した人工言語である。ことばの異なる人たちが、お互いを理解できるようにとの願いを込め、簡略な文法となっている。

3.　類型論と系統論

　言語の特徴をもとに世界の諸言語の関係を研究する分野を類型論という。一方で、歴史的に言語の系統関係(親族関係になぞらえる)を明らかにしようとする分野は系統論という。異なる系統に属する言語でも類似性が認められることもあり、言語の類型的特徴が言語の系統的関係と必ずしも結び付くわけで

はない。

　類型的特徴として、古くからある古典的な整理としては以下の形態的観点からの4類型がよく知られる (町田健・籾山洋介 1995: 161)。これは以下に示すように十全なものではない (Comrie 1981) ことが知られているが、ことばの特徴付けとして以下に挙げる。

(2)　　特徴から見た4類型

1.　孤立語：中国語のように、単語が語幹＋接辞という構造を持つことがなく、語順によって文法関係を表す言語。例：〈私は君を愛する〉という意味の中国語文〈我愛你〉では〈愛 (簡体字では爱)〉は〈愛する〉という動詞で、その行為の主体〈我〉とその対象〈你〉は文法関係を示す標識は何も持たず、その関係は語順によってのみ示されている。

2.　膠着語：日本語やトルコ語のように、意味を担う語幹に文法機能を表す要素が付加されて単語が構成される言語。例：王妃は王に愛された

3.　屈折語：ラテン語やギリシャ語のように、単語が語幹と接辞という構造を持つが、語幹の形も変化し、語幹と接辞の境界がはっきりしない言語。

　　ラテン語の例：sum: I am

　　　　　　　　　 es: you are

　　　　　　　　　 est: she/he is

4.　抱合語：シベリア北東端で話されるチュクチ語のように、品詞の異なる語幹が融合して1つの単語を作ることができる言語。アイヌ語のa-kore（私は与える）に対するa-e-kore（私はあなたに与える）のように、一語のなかに目的語などを挿入する構造の言語。

　この類型はどの言語もどれか1つの類型に画然と属することを意味するものではない。例えば英語は、文法関係を語順によって表す点では孤立語的だが、come-came のように語幹の形の変化で時制の違いを表す点では屈折語的である。過去の情報を -(e)d を付加して表す点では膠着語的である。

　一方、系統関係とは言語を歴史的に見たものである。起源が同じ言語を同

系であるといい、同系の言語集団を語族という。英語やフランス語はインド・ヨーロッパ語族に属する。インド・ヨーロッパ語族は英語、ドイツ語、フランス語、スペイン語などヨーロッパに由来する多くの言語と、ペルシア語やヒンディー語などのアジアに由来する言語を含む。起源が同系であることは、規則的な音韻対応によって証明されている。例えば英語とラテン語で父を表すfatherとpater、足を表すfootとpes、魚を表すfishとpiscisでは/f/と/p/が対応している。他に、シナ・チベット語族、オーストロネシア語族など多くの語族がある。起源が同じであれば、基礎語彙（例えば1から5ないし10までの基本数詞や、「目」「鼻」「手」「足」などのような身体名称、「父」「母」など身近な親族名称）に類似性やシステマティックな音韻対応が認められる。

　しかし松本克己（2007, 2016）によれば語彙は、いつまでも維持されるわけではないため、限界があるという。使用頻度が高いと考えられる語彙である基礎語彙の消失率は1000年後ではおよそ80％であり、時と共にどんどん失われ、結局6000〜7000年を越えたあたりで、ほとんど無くなってしまう。ちなみに、どんな言語の間にも、偶然に意味と音形が似通った語は5％くらい見出されるという。

　そこで松本（2007, 2016）では言語の持つ特徴として流音、名詞の数カテゴリー、名詞の類別などを取り上げ、世界諸言語を類型化している。図8に名詞の類別タイプの地図を挙げる。

　流音のタイプとは日本語のようなラ行子音が1種類か、あるいは、英語などのヨーロッパの言語のようにr音とl音を区別するか、あるいは流音という音素を全く持たないかという特徴付けである。

　名詞の数カテゴリーとは、名詞に単数、複数の区別が文法的に義務化されているかどうかという区別である（例：英語では2匹のネコはtwo cats）。インド・ヨーロッパ諸語では数の区別は文法的に義務化されているが、日本語では義務的ではない。

　類別タイプとは、ジェンダーまたはクラスによって名詞自体を直接類別する「名詞類別型」（例えば男性名詞、女性名詞の区別があるような言語（フランス語など））か、あるいは日本語のようにジェンダーの区分はないが助数詞による区別（1匹／枚／本／人など）によって間接的に類別する「数詞類別型」がある。

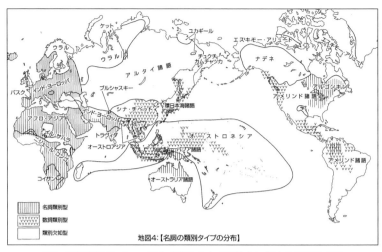

図8 言語類型特徴の1つ、名詞の類別タイプの地理的分布 (松本克己2007: 196)

　地図内で、日本を含む地域は環日本海諸語となっている。北はアムール下流域から樺太にかけて分布するギリヤーク語、日本列島のアイヌ語と日本語、そして朝鮮半島の朝鮮語を指す。これらは系統不明の孤立言語である。ちなみに、松本 (2007, 2016) では、これらの環日本海諸語のルーツを東アジア諸集団における「Y染色体」遺伝子の分布と共に探っている。日本語がどこから来たかという問題は、言語の問題にとどまらず、日本人の起源を探る点で注目を集めるものであるが、残される問題は多い。

4. 世界における各言語の使用人口

　言語のデータベースであるエスノローグ[04] (ethnologue) によれば、世界では7,168言語 (2023年4月29日時点) が使われているが、全人口72億人の半数以上が上位23言語を話しており、40%の言語が話者人口1000人を切っている。

　世界には多くの言語があるが、話者人口が多い言語は限定されており、その他の言語は少数言語である。多くの言語が絶滅の危機に瀕している。

　日本語は話者人口では世界13位 (125.4M)、母語話者人口では世界9位であり、絶滅とは縁遠い安泰な言語である。しかし、私たちは多くの地域で生じ

る言語間の興亡、勢力差などの社会的問題を等閑視してはならない。

　エスノローグには世界の母語話者数、使用話者数のデータや、各国での多言語併用の状況を見ることができる。言語の使用は、文化や政治における勢力圏と民族のアイデンティティとのせめぎ合いで流動する、地球規模の社会現象である。

┃コラム 世界の文字の分類

　物語は古くは口承によって受け継がれてきたが、文字による保存、さらには印刷術の発明によって、現在では多くの人々が物語を享受することができるようになった。

　世界の文字を分類すると、大きく表語文字と表音文字に分けられる。

(3)　文字の分類
1.　表語文字：意味と同時に音も表す。例：漢字 {猫：🐈の概念・ネコ}
　　　　　　　　　　　初期の文明の文字の多く
2.　表音文字：音節文字 (音節を直接表す) 例：日本語の平仮名・片仮名
　　　　　　　　単音文字 (単音 (音素) だけを表す) 例：アルファベット

　アルファベット (英：alphabet) は1つ1つの文字が原則として1つの子音もしくは母音という音素を表すもので、ラテン・アルファベット、ギリシャ文字やキリル文字などがある。日本語で「アルファベット」というと英語などで使われるラテン文字を指すことが多いが、学術的には上記の定義である。「アルファベット」ということばは、ギリシャ文字の伝統的配列の1番目 (アルファ) と2番目 (ベータ) の文字名称が、その語源である。

　シュメール文字 (楔形文字) は、人類史上最古の文字である。エジプトのヒエログリフ、中国の漢字 (甲骨文字) や、マヤ文明のマヤ文字などとともに表語文字である (表語文字が起源と考えられているが、これらには表音文字としての使い方もある)。このことから、文字は表語文字を起源としているという (河野六郎・千野栄

一・西田龍雄 2001）。ちなみに、千野栄一・西田龍雄による序文では、音を表示しない表意文字は存在しないので、「表意文字」という言い方は適正な術語ではない（2001: ⅲ）と述べている。

					ŞU
					シュ て

図9 シュメール文字と漢字における「手」の変遷
上段が楔形文字、下段が漢字（飯島紀 2004: 22）

　図9は、楔形文字と漢字において、絵から生まれた「手」の変遷を示している。似ているだろうか。
　しかし意味を表す表語だけでは、抽象的概念など表現力に限りがあるため、音節を表す用法や、会意、指事、形声など多様な使われ方が生み出された。物の形を文字で表すのではなく、話しことばの音を文字で表すという変化、つまり表語文字から表音文字への変化は画期的である。

	古拙文字	前2350 年頃	アッシリア 文字	補　注
象形				山の象形、 kur「山、国」。
会意				ka「顔、口」と ninda「パン」を 会して kú「食べる」 を表す。
指事				線の交叉によって kúr 「敵、他人の、別の」 などを表す。
形声				は意符で卵状の 穀粒。 は音符 gig、 gig「小麦」を表す。
仮借				pisan「容器」、gá「納 屋」を示すが、gá「置 く、作る」にも転用。
転注				原意 apin「すき」から uru「耕す」、engar「農 夫」にも転用。

図10 文字の種類
（河野六郎・千野栄一・西田龍雄 2001: 496)
を元に作成

図11　エジプト、ルクソールにあるツタンカーメン王の墓の入り口に立つ看板。英語、アラビア語、ヒエログリフの文字が見える。ツタンカーメンは、古代エジプト第18王朝末期の最後の直系王族である。若くして亡くなった悲劇の少年王であり、黄金のマスクを初めとする副葬品がほぼ完全な形で発見された王として、よく知られる。王の名前は楕円の枠で囲む（カルトゥーシュという）ので、画面下の行の右端は**ツタンカーメン**を表す。

サァ・ラー

アメン

トゥトアンク

ヘカァ
イウヌゥ
シェマァ

図12 読み方は、ツタンカーメンの発音はトゥトアンクアメン。サァ・ラー（太陽神の息子）、ヘカァイウヌゥシェマァは王名の修飾語。ヒエログリフは横にも縦にも書く。鳥や動物が向いている向きから読み始める（松本弥2018: 76）。

図13 ヒエログリフ解読のきっかけとなったロゼッタ・ストーン。1799年にナポレオン遠征の際に発見された。大英博物館蔵。

図14 ロゼッタ・ストーンの裏側（何事にも裏がある）。

　ロゼッタ・ストーンは紀元前196年にプトレマイオス5世によってメンフィスで出された勅令が刻まれた石碑の一部である。古代エジプト語の聖刻文字（ヒエログリフ）と民衆文字（デモティック）、ギリシャ語のギリシャ文字の、3種類の文字が刻まれている。1800年代にフランスのジャン＝フランソワ・シャンポリオンが解読した。

第2章

物語と談話の法則

本章では、物語に使われる表現をもとに、ことばの規則について研究する文法論という分野を紹介する。物語は、複数の文や表現から構成される。文のまとまりを「文章（テクスト）」、「談話」という。複数の文から構成される表現には配列のしくみがある。

1. ことばの運用能力

私たちには、ことばを操り、理解する能力がある。

ことばに一定の法則があることは、文の規則である「文法」という名でよく知られている。「美しい－桜の－花が－咲いた」を「＊花が美しい桜の咲いた」ということはできない（＊はアステリスク、あるいはスターと呼ばれ、不自然な表現をマークする記号である）。「花」を修飾することば「美しい」は「美しい花」のように、日本語では前に置かれる。「花が咲いた」とはいえても、「桜の咲いた」という連続はおかしい。

母語として日本語を使っている場合、自分の文法能力に意識を馳せることは通常はない。努力して日本語を学んだわけではないが、なぜか使えている。

しかし、外国語として英語を学んだときには、覚える単語や文法、発音の何と多かったことか。外国語を習得するときには、発音や文法をはじめ、言語を操る多くの能力が必要なことがわかる。母語を難なく操る根底には、多くの能力、多くの言語のしくみが隠れている。

この言語のしくみを研究する分野が言語学である。具体的言語に特化して研究する場合、日本語学、英語学、フランス語学等と呼ばれる。そしてことばの持つ側面として文法や音声、意味などの領域を研究する分野として文法論、音声学、意味論などがある。

文法は文を作る上で大切なルールだが、文法を知っていれば一定の長さの表現を伝えることができるかというと、それはできない。1つ1つの文は正しくても、全体としてまとまりを持たない、ちぐはぐな表現になってしまう。そこで文章全体での配列の規則が研究されている。

2. 言語学の諸分野

言語学には、音声学・音韻論・意味論・形態論・文法論 (統語論)・語彙論・文字論・語用論などの様々な分野がある。また、ことばと社会 (社会言語学)、ことばと心 (言語心理学)、ことばと教育 (応用言語学) など多様な分野と関わる。

本章では、文法論を中心に、文章の中で文を作る「文法」がどう関わるかを扱う。物語や語りでは、いくつかの文や発話がまとまって使用される。以下では、昔話「桃太郎」を例に、日本語のルールについて見ていく。

3. 「桃太郎」の言語学

まず、想像してみてほしい。「桃太郎」はどうやって始まるのか…。1つの始まり方は「むかしむかし、あるところに、おじいさんとおばあさんがいました。おじいさんは山へ柴刈りに〜」というものである。

なぜ「おじいさんは山へ柴刈りに」という文言が (決まり文句のように) 残っているのだろうか。桃太郎の桃を拾い上げるためには、おばあさんが川へ洗濯に行くことは関係があるが、おじいさんが柴刈りに行くことは関係ない。柳田國男 (1933) によれば、おじいさんは山へ柴刈りにというのは、定型句として以前あったものが古層として残り、そこから用いられたという。

物語に冒頭句「むかしむかしあるところに」と結末句「こんなことがあったとさ」や「どっぺんからりん (地域によって異なる)」という額縁があるのは、

物語が1つのまとまりとして存在し、他と境界づけられるからである。

　物語には内容の配列に一定のパターンがある。物語では、時と場所は早い段階で指定されることが多い。物語は、日常を映し出すことから始まり、そして幾多の出会い、困難があり、その問題を解決して、もとの平和な状態に戻る。もちろん、物語にはいろいろなものがあるし、必ずしもこのパターンだけではないが、物語の順序を入れ替えると話は別のものになる（例えば鬼退治をしてから桃太郎が生まれるという順番では別の物語になる）。

　では、言語の配列はどうか。

　(4) は「桃太郎」の冒頭である。｛　｝ の表現として適切なものを選ぼう。

(4)　　むかしむかし、あるところにおじいさんとおばあさん① ｛が／は｝ いました。おじいさん② ｛が／は｝ 山へ柴刈りに、おばあさん③ ｛が／は｝ 川へ洗濯に行きました。おばあさん④ ｛が／は｝ 川で洗濯をしていると、大きな桃がどんぶらこ、どんぶらこと⑤ ｛流れました／流れてきました｝。おばあさんは大急ぎで家へ帰り、おじいさんに言いました。「おじいさん、大変だ！⑥ ｛こんなに／そんなに｝ 大きな桃が流れてきた⑦ ｛ね／よ｝ ！」

　｛　｝ の表現はそれぞれ似た表現だが、こうして文章の中に入れると、どちらかは自然でどちらかは不自然に感じられる。

　①〜④は助詞「は」と「が」の使い分けである。「は」と「が」はどちらも英語でいう主語に近い役割をしているが、文章に出てくる順番によって使い分けられている。次のように①「が」②「は」③「は」となる。

(5)　　むかしむかし、あるところにおじいさんとおばあさんがいました。おじいさんは山へ柴刈りに、おばあさんは川へ洗濯に行きました。

　物語では、最初に導入された新しい情報は「が」で導入されて、いったん定着した情報に「は」が使われる。「おじいさんが山へ柴刈りに行く」という行為自体は、「が」で表現してもよい事態であるが、物語の連鎖の中で

「は」と「が」の使い分けがある。このような現象は、1つの文だけで表現が決まるのではなくて、一定の長さの中で表現が決まる例である。このような事例は文を作る規則としての文法だけでは説明しきれない。文章や談話といった一定の表現のまとまりを想定し、そこにおける情報の取り扱い方の規則を考える必要がある。

さらに、「は」と「が」は情報の新旧以外でも異なる。例えば④では、「が」が入り、「は」は入らない。文頭の?は不自然なことを表す。

(6) ?おばあさんは川で洗濯をしていると、大きな桃がどんぶらこ、どんぶらこと流れてきました。

「は」が入ると、「おばあさんは〜流れてきました」となり、「おばあさん」が「流れてきました」の主語となってしまう。従属節「〜と」の内部に収めるためには「が」でなければならない。

(7)は、グリム童話「白雪姫」（訳では原文の語順に沿って雪白姫となっている）の冒頭である。登場人物はどのような助詞で示されているだろうか。

(7) むかし昔、冬のさなかのことでした。雪が、ふわりふわりと、空からまいおりていました。そのとき、どこやらの国の王さまのおきさきが、黒壇の枠の窓ぎわに腰をおろして、針しごとをしていました。ところが、こうやって縫いものをしながら、雪を見あげたとたんに、おきさきは、白い雪のなかにおちたその赤い色が、みたところ、いかにも美しかったので、おきさきは、「雪のように白く、血のように赤く、窓わくの木のように黒い子どもがあったら、さぞうれしいでしょうにねえ」と、ひとりでかんがえてみました。

　その後まもなく、おきさきは女の子をもうけました。その女の子は、雪のように白く、血のように赤く、それから、黒壇のように黒い髪の毛をもっていましたので、それで、「ゆきじろひめ」という名前がつきました。そして、この子どもが生まれると、おきさきは死んでしまいました。

(金田鬼一訳「雪白姫KHM53」『グリム童話集2』) AT 709

登場人物「おきさき」は最初は「が」で導入され、以降「は」で継続する。2段落目で「女の子」が生まれるが、最初は「を」、次は「は」となっている。「は」は導入された後の旧情報に用いられている。

　ところで、最後の文「そして、この子どもが生まれると、おきさきは死んでしまいました。」は、グリム童話の初稿には見られない。初稿は白雪姫の殺害を企むのが実母であるなど、改稿版とは異なる内容となっている。

　これまで日本語の「は／が」を見てきた。英語ではどうだろうか。(8) は、英語版の桃太郎である。

(8)　Once upon a time, there lived <u>an old man</u> and <u>his wife</u>. Every day, <u>the man</u> went to the mountain to gather firewood, and <u>his wife</u> went to the stream to wash their clothes.

　　　One day, when <u>the old woman</u> was doing her washing, she heard a strange noise. <u>She</u> looked up and saw a huge peach floating down the stream towards her. So <u>she</u> picked the peach up—it was so big and heavy—and took it home.

(The Japan Society[05])

　初出は不定冠詞 (an old man) が用いられ、2回目は定冠詞 (the man) が用いられる。この場面でおじいさんへの言及は2度だけだが、おばあさんは川で桃を見つけるので6回、次の形で参照される。

his wife → his wife → the old woman → she → she → she

　his wife が2度使われた後、場面が変わり、桃を発見する「ある日」の出来事へと移る。このとき、「the old woman」と形容詞の付いた長い名詞句で参照される。その後はおばあさんの様子が描かれるので「she」が連続する。

　同じ人物を指すのに複数の表現が使われており、情報の新旧だけでは説明できないといえる。情報の新旧で考えるなら、「おばあさん」は初出以降、すべて旧い情報となるからである。

　同一人物を参照する場合は短い形 (代名詞) が好まれるが、場面が変わったり別の人物が登場するとより明示的な形 (名詞) で参照される。これは、情報の新旧だけでは使い分けは説明できず、対象への接近可能性 (Ariel 1988) が関

わっている。焦点が当たっており、その文脈での想起がしやすければ代名詞等の短い形で言及し、他に競合する指示対象がある場合や文脈での距離がある場合には完全な名詞句を用いるというものである。

　Gundel et al. (1993) は、「既知性の階層」によって、it/that/this/the/a noun などの指示の連続を記憶の問題として考え、想起しやすさの合図句として指示語を扱っている。

表1　既知性の階層（Gundel et al. 1993）

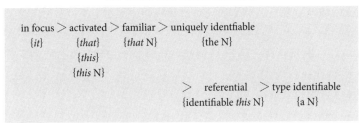

この階層は6種の「認知的地位」からなり、それぞれは該当する指示語を使うときの必要十分条件（下位（右）の地位をすべて包含する）と考えられている。例えば、「桃」は最初（お婆さんが取り上げる時）は the peach（特定可能）だが、その直後は焦点が当たっている（in focus）ので it が用いられている。

　文章におけることばの使用を考えるためには、文脈を読み進めるごとに情報が更新していくことを考慮に入れる必要がある。

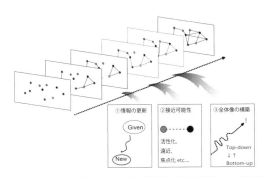

図15　文脈の進展と情報の更新、接近可能性（甲田 2009b を一部改編）

さて、桃太郎の後半、⑤〜⑦は視点の問題である。後半部分を再掲する。

(9) 　おばあさんが川で洗濯をしていると、大きな桃がどんぶらこ、どんぶ
　　　らこと⑤｛流れました／流れてきました｝。おばあさんは大急ぎで家
　　　へ帰り、おじいさんに言いました。「おじいさん、大変だ！⑥｛こん
　　　なに／そんなに｝大きな桃が流れてきた⑦｛ね／よ｝！」

　物語では、あちこちと視点が飛んでしまうのではなく、一定の区間、視点
が固定されていることが多い。
　⑤は「大きな桃がどんぶらこ、どんぶらこと流れてきました」のように、
「〜てくる」を用いると、洗濯をしているおばあさんの方に向かって遠くか
ら近くへ移動してくる様子を描くことができる。
　⑥は指示語「こ／そ」の対立であるが、話者に近いことは「こ（これ・ここ・
こういう…）」、遠いことは「そ（それ・そこ・そういう）」が用いられる。この桃は
おばあさんが発見した桃であって、それをおじいさんに対して伝えるのであ
るから「こ（こんなに）」が選ばれる。おばあさんが手に持っていれば物理的距
離が近いかもしれない。
　「おじいさん、大変だ！こんなに大きな桃が流れてきた⑦｛ね／よ｝！」
は、終助詞の使い分けの違いである。この事実を知っているのはおばあさ
んだけで、おじいさんは知らないので、「よ」が選ばれる。終助詞「ね」と
「よ」は似ているが、共通した知識と見なすかどうかで使い分けられる。話
し手と聞き手とがお互いに知っている場合は「ね」が選ばれる。

(10) 　旅の途中、桃太郎は犬に出会いました。犬は桃太郎のきび団子を欲し
　　　がり、「僕に1つくれればお伴します。」と言いました。そして犬は桃
　　　太郎から1つ団子をもらい、家来になりました。
(11) ＊僕に1つやればお供します。

　「やる」「あげる」「もらう」「くれる」を授受動詞という。これらは物や
恩恵の方向性と関わるので視点と関わる。よく英語でギブアンドテイク (give

and take)（やる－もらう）というが、日本語の場合「やる」「もらう」以外に「くれる」も存在する。犬が「1つくれれば」と言ったのは、団子（そして恩恵や利益）が自分（犬）に向かっているからである。これに対し「やる」は、恩恵を受ける側の視点に立った表現ではなく、恩恵やものの移動を中立的視点で述べる表現である。

(12)　桃太郎はきび団子を犬に<u>やった</u>。

その他に視点の表し分けをするものに能動文と受動文の対比がある。

(13)　犬は鬼の足を<u>噛み</u>、キジは鬼の頭を<u>つつき</u>、たいへん<u>活躍しました</u>。

図16　絵本宝七種[06]（山東京伝 1804）

(14)　鬼は犬に足を<u>噛まれ</u>、キジに頭を<u>つつかれ</u>、<u>泣いてしまいました</u>。

　（13）は犬とキジが鬼を攻める様子、（14）は鬼が犬とキジに攻められる様子を描いている。同じ事態でも、どちらに視点を置くかが異なっている。「噛まれる」「つつかれる」という表現を受け身文（受動態）というが、受け身文が用いられるのは動作を被る「鬼」に注目している場合である。1つの文の中では描く視点は固定していることが普通なので、<u>後続する表現</u>はそれぞれ（13）では「犬とキジ」、（14）では「鬼」が注目されている。

　以上、「桃太郎」に使われる言語表現をもとに、物語におけることばの使い方を見てきた。似ている表現であっても、物語の一貫性や話し手と聞き手との関係を反映して、表現が選ばれている。

　ここで少し「桃太郎」の物語としての性質について述べておく。柳田（1933）は桃太郎の昔話は、変わった型の分布が全国で僅かしか発見されていないと述べている。一方「瓜子姫」は「桃太郎」と同様に果実から主人公が生まれるが、地域によって話のバリエーションに違いがあるとされる。

　「桃太郎」は昔話として定着しており、「大きな桃が」となっている。しか

し、柳田 (1933) によれば、もとは、「小さき子」の物語であり、桃の大きさは強調されなかったという。要点は「大きな桃」にあるのではなく、むしろ桃の中から生まれ出るほどの小さい子が、後に立派になり活躍する点にあるのだという。神から送られた救い主は最初は侮られ、後には奇跡によって発覚するという。英雄の成功譚には、小さく弱々しいもの、貧乏人、怠け者、人から省みられなかった者が後に活躍するものが多い。語り継がれていくうちに、神話から昔話となり、標準化された桃太郎、すなわち、異様な小ささは取り除かれた。「異常な小ささ」は人間の子でないことを示す (異類譚や神人通婚の要点) が、この点も取り除かれている。

4. 言語の単位

言語の単位には、音素－形態素－語－句－文－テクスト・談話がある。
言語単位と研究分野について整理すると (15) のようになる。

(15) 言語単位と 研究分野
1. 音素：p、b、t、d、a、i など、意味の区別に貢献する音の単位。
   ミニマルペア (最小対) を作り、音素を取り出す。
   例：/papa/ と /baba/ から /p/ と /b/ を取り出す 音韻論
2. 形態素：有意味な最小の単位。
   例：学校側〔学校－側〕
   　　行かせられなかった〔行か－せ－られ－なかっ－た〕 形態論
3. 語：句や文を形成する構成要素であり、独立した最小単位。
   例：{犬}{音楽} 語彙論
4. 文：言語活動上の独立性を持つ最小単位。
   構文論 統語論 文法論 (語のつながりを考える分野)
   例：{桜の花が咲いた}
5. テクスト・談話：言語活動をする上での一定の表現のまとまり。
   物語もテクスト・談話の1つ。 文章論 談話分析 会話分析

テクストとは text、texture からわかるように、もともと織物から来てい

る。縦糸と横糸が織り合わせられて織物はできている。テクスト、談話も、複数の表現が有機的に関連しながらでき上がっている。日本語を構成する文の法則を文法というが、何らかのまとまりのある一定の長さの表現（テクスト・談話）の中で、自然な表現をつくる法則がある。

第3章

音と耳から考える物語

　俳優や声優、アナウンサーの物語朗読を聞いたことがあるだろうか。感情を込め、発声や間、抑揚を巧みに用いて、圧倒する世界観を打ち出している。例えば『ハリー・ポッター』は俳優、江守徹の朗読でCD化されている（静山社 2003）。CD-ROMによる電子書籍『新潮文庫の100冊』にも俳優による朗読が収められており、またYouTube上には多くのプロの朗読が公開されている。真似をしようと思っても、一朝一夕にできるものではない。巧みのわざである。

　本章では物語の朗読をもとに、音声学を扱う。音声の精密な測量、記述は音声学という分野で行われている。音声を調べるには、耳（聴覚）で聞いてどんな音か調べる聴覚音声学、どのように発声器官を動かして音を出すかを調べる調音音声学、音声を分析機器にかけて物理的性質を調べる実験音声学がある。

　音声は文字とは異なり、録音機器がなければその場で消えてしまう。そのため、機械が現れる前の古い音声は残っていない。しかし、表音文字や体系的再建によって過去の音声を再現する試みが行われている。第4節では過去の物語音声を扱う。

1. 物語の音声

　もともと自然言語は音声を基盤としている。プログラミングの言語など人工言語と区別して、日本語や英語のような自然発生的な言語を自然言語と呼

ぶ。自然発生的な言語では、伝達手段の基本は音声である。文字がなければ、さぞ不便だと思うかもしれないが、もともと日本語にも文字はなかった。そのため、近隣の文明国、中国の漢字を使用し、さらには日本語に合うように試行錯誤しながら音や意味によって漢字を利用し、さらには漢字を崩した平仮名、その一部を用いた片仮名を誕生させた。

　音声には句読点はない。話しながら、てん（、）、まる（。）とは言わないだろう。しかし、ポーズを入れたり、速さを変えたり、声の大小、高低を利用して、話のまとまりを表現している。言語の基盤となる音声には、物語の情報がちりばめられている。

　（16）は桃太郎の冒頭部分の朗読（女性アナウンサー）である。

（16）　むかしむかし、あるところにおじいさんとおばあさんがいました。お
　　　　じいさんは山へ柴刈りに、おばあさんは川へ洗濯に行きました。おば
　　　　あさんが川で洗濯をしていると、大きな桃がどんぶらこ、どんぶらこ
　　　　と流れてきました。おばあさんは大急ぎで家へ帰り、おじいさんに
　　　　言いました。「おじいさん、大変だ！こんなに大きな桃が流れてきた
　　　　よ！」 🎙音声

　（17）は音声をできるだけ発音に忠実に表したものである。

（17）　o:kʲina mo／moŋa ̄dombɯᵝrako dombɯᵝrakoto na／ŋa＼ɾete kʲi／ma
　　　　＼ɕita（大きな桃がどんぶらこどんぶらこと流れてきました）

　ここで用いられている記号は、以下のように一部アルファベットとは異なる文字が使われている。

（18）　「ら」の子音部分r→ɾ、ウ段の母音（例「ぶ」）u→ɯᵝ、助詞の「が」の
　　　　子音部分ŋ、など（「し」の子音部分は図19では∫だが、ここでは[ɕ]を使っている）。

　これらの文字は国際音声記号（International Phonetic Alphabet、略して IPA（アイピーエー）

[aɪ pʰi: eɪ]) で書かれている。あらゆる言語の音声を文字で表記すべく制定されたものである。このうち、国際音声学会 (International Phonetic Association) による子音と母音の表を付す (図17、図18)。補助記号については、下記の出典を参照されたい。

子音 (肺気流)

©◎◎ 2020 IPA

	両唇音		唇歯音		歯音		歯茎音		後部歯茎音		そり舌音		硬口蓋音		軟口蓋音		口蓋垂音		咽頭音		声門音	
破裂音	p	b					t	d			ʈ	ɖ	c	ɟ	k	g	q	ɢ				ʔ	
鼻音		m		ɱ				n				ɳ		ɲ		ŋ		N				
ふるえ音		ʙ						r										ʀ				
たたき音/はじき音				ⱱ				ɾ				ɽ										
摩擦音	ɸ	β	f	v	θ	ð	s	z	ʃ	ʒ	ʂ	ʐ	ç	ʝ	x	ɣ	χ	ʁ	ħ	ʕ	h	ɦ
側面摩擦音							ɬ	ɮ														
接近音				ʋ				ɹ				ɻ		j		ɰ						
側面接近音								l				ɭ		ʎ		ʟ						

枠内で記号が対になっている場合、右側の記号が有声音を、左側の記号が無声音を表す。網掛け部分は、不可能と判断された調音を表す。

図17 国際音声字母 (子音)、縦軸は調音法、横軸は調音点。この交差する箇所で音が決まる。(国際音声学会 2020[07])

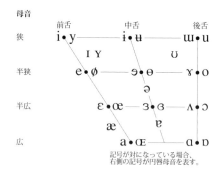

母音

記号が対になっている場合、右側の記号が円唇母音を表す。

図18 国際音声字母 (母音)、母音は口の開口度と舌の位置で決まる。(国際音声学会 2020)

例えば、日本語の「う」の音は非円唇であるのでɯを使用する。「ら」は英語のrともlとも異なり、舌を歯茎のあたりで弾く音であるのでɾと記す。個人差もあると思うが、語中語尾の「が」がいわゆるガ行鼻音である場合、ŋで表す。アルファベットで表記する場合と比べてみよう。

図19は50音図をIPA記号とともに表したものである。

50音図は共通する子音と母音の組み合わせを縦横に並べた図である。母音のウ段は非円唇母音となっている。イ段の子音は後ろの音 (ィ) からの影響 (逆行同化という) で、ʃi、tʃiなど、音が口蓋化している。ヘボン式 (わりあい発音に

	パ	バ	ダ	ザ	ガ		ワ	ラ	ヤ	マ	ハ	ナ	タ	サ	カ	ア	
	pa	ba	da	dza	ga		ɰa	ra	ja	ma	ha	na	ta	sa	ka	a	直音
	pʲi	bʲi		dʑi	gʲi			rʲi		mʲi	çʲi	ɲi	tʃi	ʃi	kʲi	i	
	pɯ	bɯ		dzɯ	gɯ			rɯ	jɯ	mɯ	ɸɯ	nɯ	tsɯ	sɯ	kɯ	ɯ	
	pe	be	de	dze	ge			re		me	he	ne	te	se	ke	e	
	po	bo	do	dzo	go			ro	jo	mo	ho	no	to	so	ko	o	
	pʲa	bʲa		dʑa	gʲa			rʲa		mʲa	ça	ɲa	tʃa	ʃa	kʲa		拗音
	pʲɯ	bʲɯ		dʑɯ	gʲɯ			rʲɯ		mʲɯ	çɯ	ɲɯ	tʃɯ	ʃɯ	kʲɯ		
	pʲo	bʲo		dʑo	gʲo			rʲo		mʲo	ço	ɲo	tʃo	ʃo	kʲo		

半濁音　　濁音　　　　　　　　　　清音

特殊音素　ン（撥音）/N/　ッ（促音）/Q/
註　シは口蓋摩擦音ç（Labrune 2012）だがʃ（後部歯茎摩擦音）で記す。

図19　50音図をIPAで示したもの

近い表記）で「し」はshi、「ち」はchiと書かれるのは音がsi、tiとは異なるからである。ハ行の子音はイ段でç、ウ段でɸとなっており、h音ではない。h音は後世になってからの音で、元はf音であった。これはウ段に残っている。ローマ字で「ふ」をF(f)で書くのはこれに対応する。

　世界には数多くの言語が存在しており、世界中のあらゆる言語の発音を表記するために国際音声記号（IPA）が定められている。インターネット上の国際音声学会のウェブサイトでは、国際音声記号の実際の発音を聞くことができる[08]。

2.　朗読における音声の特質

　ここでは、朗読における音声を観察することで、1つ1つの音の性質だけではなく、実際の使用場面での音声の特質を考える。会話もそうだが、朗読音声を知るための特徴として、以下がある。

（19）　音の高低（ピッチ）、間合い（ポーズ）、音の強弱、話速

　郡史郎（2020）は、熟練した読み手が実践している朗読の仕方として、声の高低の幅を広くとることを挙げている。熟練した読み手は、高い声も低い声

もまんべんなく使う。朗読に慣れない人が使う声の範囲（声域）は、自分が出せる高さの低い部分しか使っていない。一方、熟練した読み手は1オクターブ半から2オクターブの高低の幅を文芸作品の朗読で使っている。これは、裏声を除くとふつうの人が出せる高低の幅のほとんど全部であるという（郡 2020: 100–101）。

　新美南吉の「ごんぎつね」は、小学校の国語教科書でも取り上げられるよく知られる物語である。「ごんぎつね」の朗読を収録した音源は多く市販されており、公共の図書館などにも配架されている。郡は、中堅以上の読み手（沼田曜一、岸田今日子、来宮良子、関根信昭、市原悦子、広瀬修子（2録音）、神保共子、田原アルノ、高山みなみ、佐々木健）による「ごんぎつね」を朗読した音源について、文の最初の音節の高さ、文末のポーズの長さ、テンポなどの音声情報を示している。図20は、『ごんぎつね』の朗読で、最初の音節の高さの平均を表すグラフである。指さし記号は特に高めの音域で始まっている文、🔳は段落の変わり目を指す。

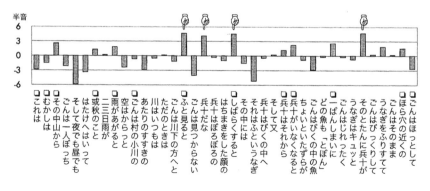

図20　『ごんぎつね』の文の最初の音節の高さ（11の朗読の平均）（郡 2020: 106）

　次に、杉藤美代子（2003）による英語の事例をもとに考えたい。

　なぜ英語を出すのか。それは、音声情報の大切さについて実感してもらうためである。母語では言語能力を体得しているので気づかないが、外国語においては、些細な技術でさえできないことに気づき、母語の能力に気づくからである。

まず、英語で「桃太郎」を書いてみよう。「むかしむかし〜」、どう表現すればよいだろうか。long long time ago... .その後はどうだろうか。以下は、杉藤 (2003) で示される英語の「桃太郎」である。ぜひ朗読してみよう。

(20) Once upon a time, there lived an <u>old</u> man and an old <u>woman</u>. The old <u>man</u>
went to the <u>mountain</u> to gather <u>twigs</u>, and the old <u>woman</u> went to a <u>stream</u>
to do the <u>washing</u>.

When the old <u>woman</u> was washing <u>clothes</u>, she saw a big <u>peach</u> floating
<u>towards</u> her on the <u>water</u>. She <u>picked up</u> the peach and went home with it.
The old man and woman cut open the peach, and found a <u>boy</u> <u>inside</u>.
They <u>named</u> him MOMOTARO. 🔊音声

英語の場合、慣れていなければ、つい棒読みで平板に読んでしまうのではないだろうか。また、読むことに精一杯で、抑揚やポーズの取り方に気を配るのは難しく、ポーズと意味とが一致していない場合も多い。

さて、これらの話を英語話者はどう読むだろうか。杉藤 (2003) では、4名の英語話者の読みのうち、3名以上が高く読んでいる部分に線を付している。

図21 (a)(b) には、英語話者と日本語話者の「大きな桃がどんぶらこ…」に対応する 'she saw a big peach floating...' の部分の音声波形とピッチ曲線を1例ずつ示している。

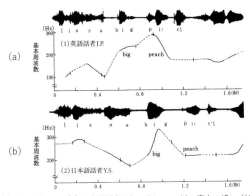

図21 (a) 英語話者J.P.、(b) 日本語話者Y.S. の 'big peach' の高さの違い (杉藤 2003: 122)

(a)(b) それぞれの上段の音声波形の振幅は声の強さを、ピッチ曲線は声の高さ(基本周波数) の変化を表している。

　英語話者は 'big' をやや高く、'peach' をとくに高くきわだたせているが、日本語話者は 'big' を高く 'peach' を低く押さえている。母語である日本語の「大きな桃」の読み方のやり方を外国語にも適用していることがわかる。英語では、同じ単語は繰り返さずに代名詞を使うため、初出の単語ははっきり言う必要があるためだとしている。他の形容詞も同様で、日本人が読んだ場合には、'old man'、'old woman' 等の場合に 'old' をいつも高く言う傾向があるが、英語話者では、最初の old のみが高く読まれる。

　物語の音声には、物語内の情報の順番や意味が関わっている。一昔前のロボットの音声のように一音ずつ、ぶつ切れで発せられるのではなく、全体としてのまとまりが音声にも現れている。

　音声の〔強さ、高さ、速さ〕は、ことばにとって重要な情報となっている。英語や他の外国語を習ったとき、単語の書き方だけではなく発音記号やアクセントを覚えなければならなかったと思う。個々の単語が持つ音声情報に加えて、一定の長さで読んだり伝えたりするときにも音声情報が役立っている。

3. 朗読の魅力

　杉藤美代子・森山卓郎 (2007: 134–139) では、小学生の朗読とプロの朗読を比べている。それぞれの朗読を被験者に聞いてもらったところ、読み語りの速さについて、「プロの読みは遅すぎる」、「小学生の読みは速すぎる」と判断された。しかし実際の語りの速さはプロは1秒間に7.3文字、小学生は5.9文字で、プロの方が速く読んでおり、聞いた印象と実際の速さは異なっていたことがわかった。プロは速さと遅さに緩急をつけ、内容によって、ときにゆっくりと、ときに速く読む。ポーズ (間) も場面によって使い分けているからであろう。

　杉藤 (2003: 39) では、俳優 (宇野重吉) の「オオカミの大しくじり」という民話の朗読から、強調、間 (ポーズ)、発話時間を測定している (図22)。宇野重吉

は、話の起承転結にしたがって、ポーズの長さ、話の速度を変化させていた。始めはポーズも長く、またゆっくり語り始め、その後第Ⅲ段落で急にスピードをつけ、また終わり（第Ⅳ段落）には始めと同じ速さとなって終結していた。

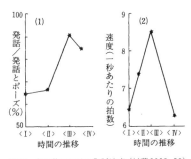

図22 各段落における発話速度（杉藤 2003: 39）

　生田久美子（1987）はわざの研究において、伝統芸能における「間」とは、機械的に測れるものでも、数量に換算されるものでもないと述べている。尾上菊五郎（1947）も、踊りの「間」に、教えられる「間」と教えられない「間」の2種類があると述べ、教えられない「間」を「魔」と書くと述べた。

　中村敏枝（2002, 2009）は、朗読における絶妙なタイミングである「間」の感性情報を扱っている。以下に中村の研究を紹介する。

　「間」は、休止、沈黙のような物理的、生理的な過程ではなく、形やことばでは表現できない体験（南博 1983）といわれ、感性や才能によるものとして捉えられてきた。それに対し、名人芸的な感覚と呼ばれるものを数量的に可視化を試みているのが中村の研究である。

　「間」の難しさは、一定の間を置くだけでは芸にならず、単調になってしまうことにある。常に一定の長さの「間」をとることは「常間（定間）は芸にならない」（川口秀子 1983）といって斥けられる。中村の実験（1996）では、桂三木助の落語「道具屋」の抜粋を用いて、「間」の長さがほぼ一定になるように編集した刺激を聴取者に呈示し、印象評定させた。結果は、一定の「間」の印象よりも、元のままのゆらぎのある落語の方が「間の取り方がよい」、「のびのびした」、「好き」などの評価が有意に高いことを示した。

中村 (1997) が俳優 (米倉斉加年) の朗読、宮沢賢治作「注文の多い料理店」における句点221箇所の「間」の長さを測定した結果、「間」は3峰性の分布を示し、その中央値はそれぞれ0.4、0.8、1.4秒であった。「間」の担う役割によって、短い「間」から長い「間」までの種類があることを示した。「間」の長さが多様であることは日常経験するところであるが、プロは間を効果的に用いている。

　図23は、中村 (2009) で宮沢賢治作「水仙月の四日」(童話Aと記されている) より抜粋した部分283モーラについて、朗読の専門家 (岸田今日子と長岡輝子) と実験参加者がどのように「間」を取っているかを計測した結果である。句毎の「間」の取り方を見ると、「感情無」では実験参加者による違いが少ないのに比べ、「感情込」では実験参加者間でも専門家のあいだでも個人の相違が大きい。朗読者によって意図する感情表現が異なることを反映するものであろう。

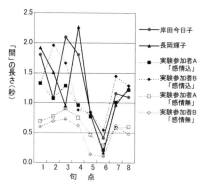

図23 感情表現と句点の「間」の長さの変化
（中村2009: 48）

　さらに中村は、「いきの合う」現象として、演奏者や歌唱者のとる「間」が聴衆者の呼吸と同期することを実験で示した。母親が子供に童話を読み聞かせている語り場面においても、情報の与え手と受け手のあいだの「いきの合う」現象を検証している (中村 1995)。これらの研究は、芸を秘め事とせず、音声の時間、ピッチ、大きさなどを実証的に計測することにより、プロのわざに接近している。

4.　昔の音声を再現する

4.1　天草版『平家物語』に見る当時の発音

　図24の写真は、ロンドンにある大英図書館が所蔵する天草版『平家物語』

である。

第1〜2行目に「FEIQE MONOGATARI.」とある。ひらがなで書いてみるなら、「ふぇいけ　ものがたり.」である。この本は、ポルトガル語式のローマ字で書かれているが、ハ行の子音は"h"ではなく"f"が使われている。当時のハ行音の発音は「ファ・フィ・フ・フェ・フォ」だった。文章は口語体で書かれており、室町時代の日本語の話しことばを知ることができる。

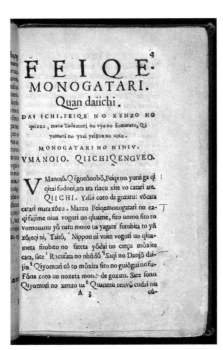

図24　天草版『平家物語』[09]

日本語で書かれた書物は数多いが、日本語は仮名は音節文字、漢字は表語文字であるため、万葉仮名の時代を除くと、当時の発音の再建は困難である。一方、この本は単音文字であるローマ字で書かれているため、当時の発音を知る手がかりとなる。国立国語研究所のWebサイトでは、大英図書館提供の天草版『平家物語』『伊曽保物語』『金句集』（「ことばの和らげ」「難語句解」を含む）のカラー画像（JPEG形式）を公開している。当時の日本語の発音がわかる画期的資料である。

これらの資料は、16世紀の日本を訪れたキリスト教宣教師の日本語学習用に編集された読本である。ヨーロッパのグーテンベルク印刷機を持ち込み、1592〜1593年に九州・天草で印刷された。

4.2　紫式部は源氏物語をどう読んだのか——平安朝に遡る

それでは時代をもっと遡って、1000年以上遡ることはできるだろうか。紫式部がもし当時（平安朝）の発音で源氏物語を読んだらどんな風になるのか、

実際に耳で聞くように作ったものがある。金田一春彦ら (1986) による『朗読源氏物語——平安朝日本語復元による試み』である。音韻復元は金田一春彦、朗読は俳優の関弘子によるもので、カセットテープと解説本からなる。

　例えば「桐壺」は、"何れの御時にか"と言うのを"いんどぅれのおふぉむときにか〜"とはじまる。桐壺の巻は源氏物語全篇の発端で、主人公光源氏の出生が語られる。「夕顔」の一場面では、夜、あたりは暗く、何者かの足音が「ひしひしと」近寄ってくるという箇所は、ひがF音、「フィシフィシ」と表現される。

　金田一によれば、音韻復元がしやすいのは、室町・戦国時代だという。『日葡辞書』(イエズス会 1603–1604) や『日本大文典』ロドリゲス (1604–1608) をはじめ、前節で紹介した天草版『平家物語』などの資料があるからである。次に復元しやすいのが奈良朝であり、万葉仮名で書いてあるからだという。例えば「ツ」の音を考えると、月を万葉仮名で「都奇」と書くが、ツには「都」が用いられている。これは当時、万葉集の時代、[tsu]ではなくて[tu]だったと見当がつく (当時の中国の音韻資料から「都」の語頭子音が「端」「東」などと同じであったことがわかっているため)。これが室町の末頃にはローマ字資料により[tsu]と書かれている。チについては、平安朝の雅楽の篳篥の譜で「チーラーロールロ」が「ティーラーロールロ」となっている。チをわざわざティと言うのは何か理由があるはずで、これは雅楽の譜ができた平安朝ごろは、チの音はtiということになる。真言宗のお経の読み方で涅槃のことを「ネファン」と言っているものがあるなど、古い発音を総動員することで音韻を復元できるのである。

　平安朝時代の日本語の音韻をもっとも端的に示すものは「井戸」を「ゐど」と書き、「蝶蝶」を「てふてふ」と書いた歴史的仮名遣いである。平安朝時代の発音は、根本的には歴史的な仮名遣いを、そのまま読む発音であったとされる。

　平安朝の末頃の京都語については、夥しい数のアクセント資料があり、『類聚名義抄』『金光明最勝王経音義』といった辞書の和訓や『日本書紀』のような漢文書籍に施されたアクセント記号がある。

　関弘子は語る。

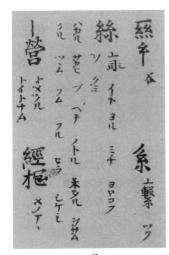

図25 『類聚名義抄』[10]（観智院本）平安末期の漢和辞書。字音・字義・和訓などを注記し、和訓には声点によってアクセントが示される。

「"春過ぎて夏来たるらし"は"パルゥツンギェテエ、ナトゥキィタルラチィ"というわけですから。金田一先生いわく、P音乃至PH音は時代が下って平安朝くらいになるとファフィフフェフォだと。この時、とにかく芝居ですから覚えこまなければならない。これが私にはいい経験になったようでした。与えられた「字」としてではなく、自分の「ことば」として発しなければならないわけです。」

「——そう、源氏はやはり、人が人に語って聞かせるもの。そう実感したのでした。」「源氏物語原文の表現者であろうとするとこう実感せざるを得なかったとき、今更ながら、以前金田一先生が"源氏は話しことばだから音韻復元の仕事をするのだ"と仰有ったのを思い出しました。」

　源氏物語は音読されることによって享受された物語であった。

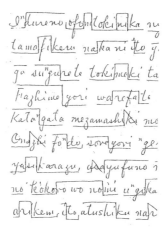

図26　金田一春彦による朗読台本（金田一1986: 114）

第4章

物語の翻訳

　本章では、原文と翻訳におけることばを対比し、ことばの意味を比較・対照する観点を紹介する。翻訳におけることばを吟味することで、意味の「等価性」を問う。翻訳は、翻訳者による原文の解釈と創作によるところが大きいが、翻訳を調べることで翻訳者がどう原文を解釈しているかを知ることができる。

1. 翻訳と日本語の特徴

　翻訳とは、起点言語 (source language) による文章を、別の目標言語 (target language) による文章に変換する行為である (鳥飼玖美子 2013)。

　翻訳には言語間 (例：英語→日本語)、変種間 (例：琉球語→共通語、若者語→共通語) の翻訳がある (ただし言語とみるか変種とみるかは一様ではない)。言語は時代とともに変化するので、古典語から現代語への翻訳もある。

　翻訳は多くの分野で行われているが、文学の場合、情報内容だけではなく、作中人物の情感や文体の表現技巧をどのように訳出するかが問題となる。

　物語の翻訳は、ことばの構造に影響される。川端康成の小説『雪国』は、サイデンステッカー (Edward G. Seidensticker) によって英訳されている。冒頭は (22) のようになっている。

(21)　国境の長いトンネルを抜けると雪国であった。夜の底が白くなった。

(22) The train came out of the long tunnel into the snow country. The earth lay white under the night sky.

(Seidensticker (tr.) *Snow Country*)

　川端の原作 (21) では主語を示しておらず、「何が」トンネルを抜けるのかは表面的なことばでは表されない。しかし、そのことが主人公の立脚点に立つことになり、主人公の体験として接続助詞「〜と」の後件部分「雪国であった」が示される。列車に乗り、暗いトンネルを抜け、その後に雪国が眼前に広がるかのようである。

　これに対し英語は語順によって文法関係を示すので、主語の位置を空白にすることはできない。列車「the train」が主語となっている。そうすると、この英訳では、主人公の体験として列車に乗っていることが描かれるのではなく、外から列車を眺めていることになる。英語が動作動詞 (came) を用いている点も異なる。(22) の英語の文を日本語に直訳すると日本語の原文に戻るだろうか。比べてみよう。

　翻訳は各言語による制限があるため、ある種の創作の世界ともいえる。原文の風情を残すことと、原文の構造 (原作者のことば遣い) と翻訳先の言語構造との違い、これらの板挟みの中で、翻訳の表現が選択されている。

2. さまざまな源氏物語

　『源氏物語』は平安時代中期の11世紀初め、紫式部によって創作された。華やかな王朝を舞台に繰り広げられる人間模様を描いた、全54帖に及ぶ長編である。

　源氏物語はこれまで、現代語訳、各国語訳が試みられている。とくに与謝野晶子、谷崎潤一郎、瀬戸内寂聴など名だたる作家が現代語訳をしていること、与謝野晶子、谷崎潤一郎にあっては2度、3度と訳を出していることも注目される。

　(23) は全54帖の発端の原文であり、(24) 〜 (28) はその訳である。

(23)　いづれの御時にか、女御、更衣あまたさぶらひたまひける中に、いと

やむごとなき際にはあらぬが、すぐれて時めきたまふありけり。

（阿部秋生・秋山虔・今井源衛・鈴木日出男（校注・訳）『新編日本古典文学全集20 源氏物語①』）

（24）　何という帝の御代のことでしたか、女御や更衣が大勢伺候していました中に、たいして重い身分ではなくて、誰よりも時めいている方がありました。

（谷崎潤一郎、新々訳1964）

（25）　いつの御代のことでしたか、女御や更衣が賑々しくお仕えしておりました帝の後宮に、それほど高貴な家柄のご出身ではないのに、帝に誰よりも愛されて、はなばなしく優遇されていらっしゃる更衣がありました。

（瀬戸内寂聴2001）

（26）　いつの時代のことでしたか、あるエンペラーの宮廷での物語でございます。

　　　ワードローブのレディー（更衣）、ベッドチェンバーのレディー（女御）など、後宮にはそれはそれは数多くの女性が仕えておりました。そのなかに一人、エンペラーのご寵愛を一身に集める女性がいました。その人は侍女のなかでは低い身分でしたので、成り上がり女とさげすまれ、妬まれます。あんな女に夢を潰されるとは。わたしこそと大貴婦人（グレートレディ）たちの誰もが心を燃やしていたのです。

（毬矢まりえ・森山恵2017（ウェイリー（Arthur Waley）からの戻し訳））

（27）　In a certain reign there was a lady not of the first rank whom the emperor loved more than any of the others.

（Edward G. Seidensticker（tr.）, *The Tale of Genji*, 1976）

（28）　At the Court of an Emperor (he lived it matters not when) there was among the many gentlewomen of the Wardrobe and Chamber one, who though she was not of very high rank was favored far beyond all the rest; so that the great ladies of the Palace, each of whom had secretly hoped that she herself would be chosen, looked with scorn and hatred upon the upstart who had dispelled their dreams.

（Arthur Waley（tr.）, *The Tale of Genji*, 1925–1926）

　　源氏物語は各訳者による、自身の翻訳への想いを綴る文章が残っている点で、物語の解釈と翻訳を考える上で有効な資料である。谷崎潤一郎（1938）は

自身の翻訳について (29) のように述べている。

(29)　「翻訳の方針は、前にもいつたやうに文学的に訳すこと、原文を離れ
　　　　て、翻訳それ自身を文学として読むことが出来るやうにし、しかもそ
　　　　れから受ける感興が、昔の人が原文を読んで受けた感興と同じやうに
　　　　すること、――それを主眼にした。」

（「源氏物語の現代語訳について」『中央公論』1938: 579）

　『源氏物語』を現代語訳する場合には、主語を入れることが多いが、谷崎
は文学的に訳出するために、主語のない原文の特徴(曖昧さ、間接さ)を踏襲し
ようとした。
　正宗白鳥 (1933) は、もとの源氏物語の原文を、「気力のない、ぬらぬらと
した、ピンと胸に響くところのない、退屈な書物」とか「頭をチヨン斬つ
て、胴体ばかりがふらふらとしてゐるやうな文章で、読むに歯痒い」と思っ
ていたそうである。しかしウェイリーによる翻訳に感銘を受け、「サクリサ
クリと歯切れがいゝ。糸のもつれのほぐされる快さがある。消極的の原文が
積極的に翻訳されてゐる (下略)、翻訳も侮り難いもので、死せるが如き原作
を活返らせることもあるものだと、私は感じた」と述べている。
　実際、ウェイリーの英語訳から日本語に訳し戻したものが佐復秀樹 (訳、
2008)、毬矢まりえ・森山恵 (訳、2017) として出版されている。
　ウェイリーと毬矢・森の訳では、原文にはない主語 (空蝉) を明示している
点、空蝉が落とす薄衣 をスカーフと訳しているなど、違いが見られる。

(30)　「(…) 気色なくもてなしたまへ」など言ひおきて、かの脱ぎすべした
　　　　ると見ゆる薄衣をとりて出てたまひぬ。

（阿部秋生・秋山虔・今井源衛・鈴木日出男（校注・訳）『新編日本古典文学全集20　源氏物語①』1994）

(31)　「(…) そ知らぬ風をしていらっしゃいよ」などと言い残してお置きに
　　　　なって、かの人が脱ぎ捨てていった薄衣を取って、お出になりまし
　　　　た。

（谷崎潤一郎、新々訳、1964）

(32)　「(…) いまのところは、誰にもひと言も漏らさないように！」そう言

って彼女を置いて去るとき、ゲンジはスカーフを拾い上げました。ウ
ツセミが逃げ去るときに肩から落としていった、薄絹の一枚でした。

（毬矢・森 2017）

（33）　(…) Meanwhile not a word to anyone!' And with that he left her, taking as
　　　　he did so Utsusemi's thin scarf which had slipped from her shoulders when
　　　　she fled from the room.

（Arthur Waley, 1925–1926）

　訳者の毬矢によれば、ウェイリーは当時のイギリスの読者にイメージしや
すいように、様々な工夫を凝らしていたという。彼の脳裏には華麗なヴィク
トリア朝時代の面影があったのかもしれない。パレスに住み、ロングドレス
を纏い、馬車に乗るエンペラーや貴族たちを描いた。薄衣をスカーフとして
訳すなど、翻訳先の文化にある類似物で代替されている。

3.　翻訳における等価性

　宮沢賢治『注文の多いレストラン』の一節とその英訳[11]である。

（34）　そこのかんばんには、こうかかれています。《レストラン　やまねこ
　　　　てい》
（35）　They found a signboard on the building.【Restaurant WILDCAT HOUSE】

（The Restaurant that Has Many Orders）

　英語では、「彼らは建物に看板を見つけました」と、人間が能動的な主体
（彼らが見つけた）となっているが、日本語では動作主としての人間は出てこな
い。「する」的な英語と「なる」的な日本語となっている。
　聖書翻訳に携わったナイダ（Nida1964）は、翻訳における等価として形式的
等価（formal equivalence）と動的等価（dynamic equivalence）に区分した（鳥飼 2013: 39）。
　形式的等価は、起点テクストの構造を再現する訳であり、動的等価は、い
わゆる意訳のように、目標テクストの読者にわかりやすく、イメージしやす
くした訳である。

動的等価の場合、伝わる意味を重視しているので、起点テクストの表現とは必ずしも対応しない表現に置き換えられる。「お疲れ様」「ご飯食べた？」などの挨拶や「腹を割って話し合う」「首を突っ込む」などの慣用的表現、日本語に豊富な擬声語・擬態語などは文化差を超えて形式を温存することは困難であるので、類似あるいは同等の目標テクストの表現に置き換えられる。鳥飼 (2013: 120) では、翻訳で生じる言語上の変化を翻訳シフトと呼んでいる。

(36)　翻訳シフトの例
1.　レベルのシフト：ロシア語сыграть (sygrat) →英語 'to finish playing' のように完了を表す語形が動詞 finish という語で訳される。一方では文法項目で表されているものが他方では語彙で表されている。
2.　カテゴリーのシフト：英語 'The rain prevented us from going out.' →日本語「雨が降ったので、外出できなかった」のように、名詞 'the rain' が節「雨が降ったので」として訳される場合や、'What made you so angry?' →日本語「なぜそんなに怒ったの」のように、名詞 'what' を副詞「なぜ」と品詞を変換して訳す場合のような、文法上のずれのこと。

　翻訳を考えることは、字義的な意味と使用における意味 (語用論的意味) の区別を考えることでもある。意味は対象を指し示すだけではなく付随した意味を持っている。「wine」をワインではなく葡萄酒と訳すと、現在では付随した意味をもたらす。
　2言語間で等しい価値を実現しようとするのが翻訳だとすると、言語単位ごとに等価のレベルを考慮する必要がある (鳥飼 2013: 118–119)。

(37)　各言語単位における訳語の問題 (日本語と英語の例)
1.　語のレベル：table→テーブル／ちゃぶ台
2.　語を超えたフレーズ、成句のレベル：同じ釜の飯を食う→live under the same roof／eat rice out of the same rice cooker、take advice→?アドバイスを取る／アドバイスをいただく、もらう

3. 文法のレベル：My doctor stressed the importance of reducing stress to control my blood pressure. →私の医師は、ストレスを減らすことが血圧を抑えるには<u>大切だと強調しました</u>／大切さを強調しました。

4. テクスト構成のレベル：After a long discussion, we were about to leave, when I had a great idea.→（従属節→主節の順番）長い議論の後、?いい考えを<u>思いついた時にわれわれは立ち去ろうとしていた。</u>／われわれが立ち去ろうとしたその時に、いい考えを思いついた。

5. 語用論のレベル：具体的なコンテクストの中でことばが使用される時の意味の次元　「すみません」→I'm sorry.（おわび）／Thank you.（感謝）

　原文を変更してまでも、翻訳先の言語に馴染みのある事例を用いた例に、「アリとキリギリス」の例がある。以下は、「天草版伊曽保物語」の漢字仮名翻字テキスト（国立国語研究所）である。もとは表音文字であるローマ字で書かれており、当時の日本語を知る貴重な資料である。

（38）　蝉と，蟻との事.
　　　　或る冬の半ばに蟻共数多穴より五穀を出いて日に晒し，風に吹かするを蝉が来てこれを貰うた：蟻の言うは：御辺は過ぎた夏，秋は何事を営まれたぞ？　蝉の言うは：夏と，秋の間には吟曲に取り紛れて，少しも暇を得なんだに因って，何たる営みもせなんだと言う：蟻実に実にその分ぢゃ：夏秋歌い遊ばれたごとく，今も秘曲を尽くされて良からうずとて，散々に嘲り少しの食を取らせて戻いた.
　　　　下心.
　　　　人は力の尽きぬ内に，未来の勤めをする事が肝要ぢゃ：少しの力と，暇有る時，慰みを事とせう者は必ず後に難を受いでは適うまい.
　　　　　　　　　　　（大英図書館蔵　天草版伊曽保物語　漢字仮名翻字テキスト）

　現代ではよく知られる「アリとキリギリス」はこの版ではアリとセミとなっている。夏に鳴くセミが身近だったからだろうか。紀元80年頃のギリシャ語文献では「セミとアリ」であったが、セミの生息しない北ヨーロッパに

「イソップ寓話集」が伝わってからセミがキリギリスになったとされる（小堀桂一郎 1978: 181–182）。日本の翻訳本でもセミとキリギリスの両者が見られる。物語には「下心」とした教訓部分が付されている。この「天草版伊曽保物語」ではアリは嘲（あざけ）り食べ物を分け与えている。この話はこれまで多く翻訳されてきたが、アリが食べ物を分け与える／分け与えない、アリが親切に扱う／嘲る、などのバリエーションが見られる。「困っている人には親切にするべき」、あるいは「怠惰な物には報いが来る」など、作品全体の教訓が翻訳によって変化していった。

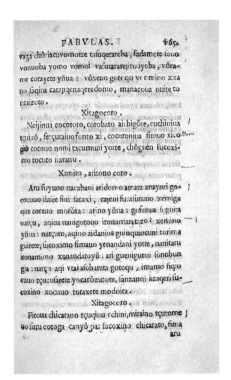

図27 大英図書館蔵、伊曽保物語 p.465、2段落目から「蝉と蟻とのこと」[12]

4. 理解の多様性

　物語の翻訳には、解釈の多様性と、表現の多様性の両方が影響している

ことがわかる。ことばの表示と、そこから解釈される意味にはギャップがある。このことは、メンタルモデル (Johnson-Laird 1983)、状況モデル (Kintsch 1998)、解釈的・伝達的意味 (語用論の諸理論)、補完的理解 (坂原茂 1985) など多方面でいわれてきた。

　同じ物語を聞いても、受け手によって異なる解釈をすることがある。ある人は図にある絵のイメージで受け取るかもしれないし、ある人は何かの前兆として受け取るかもしれない。ことばに一定の知識があれば、表面的な意味図 28 の (b) の理解 (命題表示) はある程度共通しているので、解釈の個人差は (a) のレベルで生まれたと考えられる (Fletcher 1994)。このように、ことばの命題表示 (ことばの文法的理解に代表されるようなことばの文字通りの理解) と、実際に解釈されたことばを層 (layer) として考える見方がある。

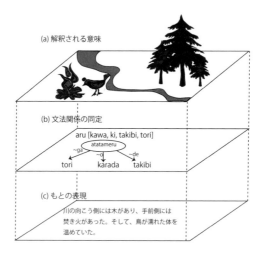

図28 解釈の段階：解釈される意味、文法関係の同定、もとの表現 (甲田 2009b: 170)

　十分な翻訳を生み出すためには、命題表示を持っているだけでは不十分である。

（39）　花子は映画館に行った。花子は母親に学校に行ったと言った。

例えば、この2文を「花子は母親に嘘をついた」と解釈することがある。命題の文法解析に加えて、全体を意味あるものとして解釈した結果である。ことばの理解は文法関係の同定だけではない。

　翻訳は、訳者の解釈の上に成り立っている。多様な翻訳が生まれるのは、原文のイメージをどう受け取り、それをどう伝えるかが多様であるからである。また、各言語に備わる語彙は決して一対一で他の言語と対応しているわけではない。ある言語に語として備わっていても、別の言語には該当する語がない場合もある。また、原文の語順が翻訳語でそのまま保持されるわけでもない。翻訳は、言語間の言語文化的軽重の違いや、言語の特徴を考えさせてくれる。

第5章

物語と時間

　物語では、結末だけが提示されるということはない。我々は物語の発端、その途中にある出来事や偶然の出会いをとおして、物語を追体験する。物語には時間経験が投影されている (Ricœur 1983: 255)。物語にとって時間は重要な概念である。

　本章では、物語において出来事がどのように時間的に再現されているのか、見ていく。物語では、複数の出来事が描かれるため、出来事間の関係や物語全体での配置が影響する。

1.　時間性

1.1　コマ割りと時間の流れ

　物語は、典型的には時間の経過を含む。このことをマンガのコマ割りと呼ばれる手法から見る。

　マンガでは基本的に紙面の右上から左下に向かって時間が展開し、場面は、コマ割りと呼ばれる画面分割によって表される (ただし、図29は左から右へ進んでいる)。1つの枠 (コマ) が一場面を表す。コーン (Cohn 2013) は同一の絵に異なるコマ割りを施した場合の効果を比較している。図29のAとBを比べてみよう。

　Aは3つのコマ、Bは5つのコマで割られている。どちらも出来事の開始部 (それぞれ①) と結末 (撃たれた男の様子) は同じである。同じ出来事であっても、作者がどう分割するかで、物語に流れる時間は異なってくる。つまり、物語的

図29 A：コマは3つ (Cohn 2013: 73)

図29 B：コマは5つ (Cohn 2013: 73)

時間のスピードは客観的時間とは異なり、作者の配分によって決まる主観的時間である。

1.2　カメラワーク

　図29Aではコマは同サイズで、同じ人物の一連の動作が定位置から描かれる。一方、図29Bのカメラワークは引いたり（①）、クローズアップ（②、③）したりと、遠近に変化があり、各コマの大きさは異なる。B②では男を拡大し効果線で拳銃を目立たせることにより、注目する行為を前景化させている。コーンによれば、日本のマンガはアメリカのコミックよりもクローズアップした絵を多く用いるという。

　さて、もし図29Aの3コマからなる一連の動きを言語化するとどうなるだろうか（左絵から①～③とする）。

（40）　①男が銃を構えていた。居合わせた男達は両手を挙げていた。周囲の人は固唾をのんで見つめていた。②銃を撃った。③そして男は立ち去った。

場面①は３つの動詞で表現され、述語はどれも「〜ていた」となっている。②、③は「た」という形である。

場面①時間t1　→　場面②時間t2　→　場面③時間t3

構えていた　　　銃を撃った　　　立ち去った

挙げていた

見つめていた

　場面①の３つの動詞をそれぞれ、「構えた。挙げた。見つめた」とすると、３つの動作に前後関係が生まれる（例：銃を構えてから手を挙げた。その後それを見つめた。）。一方「ている」をつけた形はある時間における同時性を表す。

　動詞に「ている」を付けない形（「する／した」）は、出来事の連鎖を述べるときに用いる。寺村秀夫（1984）で述べられるように、出来事の継起を述べるときは「する」であって、「ている」を使うことはできない。一方、「ている」は時間の流れを止めて、出来事間の共存＝同時性を述べるとき使われる。

　「する」−「ている」の対立は、複数の出来事をどう連結して描くかという問題である。マンガの描き方を解説したかとうひろし（2014）による絵は共存＝同時性を表している。

　この２つのコマを２通りに、言語化してみる。

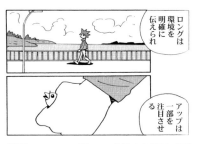

図30　コマのロングとアップ（かとう 2014: 129）

(41)　a. 男が歩いていた。手にヒヨコを握っていた。

　　　b. 男が歩いていた。手にヒヨコを握った。

　aは歩いている男と男の手をクローズアップした描写だが、bは第1文と第2文は時間的に前後関係にある。前の場面と同時の様子を描くためには、「ている」を用いるのが相応しい。

1.3 時間の重要性

物語の特徴を時間の推移だとする研究は多い。例えば、ラボフ (Labov 1972、Labov and Waletzky 1967) は、語りの必須要素として2つ以上の時間的に継起する出来事の提示を挙げている。以下の「桃太郎」の場面では3つの出来事を3つの文で表している。

(42) 桃太郎は犬にきび団子を渡した。犬は家来になった。2人は旅を続けた。

何だかそっけないが、時間的展開を持つことが物語のあらすじにとっては重要な要素である。

この他に物語性を高める要素として、境界越境と「欠如－回復」を挙げる研究者がいる。マルティネスとシェッフェル (Martinez and Scheffel 1999) によれば、物語の意味の核は、境界越境にあるとされる。人類学者ジョセフ・キャンベルの研究でも、神話を主人公の冒険的な探索と自己発見からなるものとしている。

境界越境は、児童文学者の瀬田貞二 (1980: 6、J.R.R. トールキン『指輪物語』の訳者としても有名) が強調する「行って帰る」というパターンの1つである。マンガ原作者の大塚英志 (2013: 26) によれば、宮崎アニメは行って帰る文法に忠実であり、『千と千尋の神隠し』であればトンネルの向こう側、さらには橋を越えた先にある向こう側の世界の「油屋」に「千尋」が「行く」ことで物語が始まる。このように捉えると、「鶴の恩返し」などの民俗学上の「異類譚」は、主人公は向こう側に移動しないが、異類としての配偶者はやって来て去っていく。大塚は学園物の定番である転校生ものがこのパターンであるとして、大林宣彦の『時をかける少女』を挙げている。異類の側から見れば人間界に行って帰る物語だといえるわけである。

もう1つは「欠落したものが回復する」というパターンである。多くの物語は欠如と回復からなっている。「桃太郎」は鬼による「村の平穏な暮らし」の欠如から鬼退治によって回復を図る。「シンデレラ物語」は「貧しい暮らしと継母と義姉による冷遇」から王子との結婚にいたる。

境界越境、欠如の回復は、物語における時間の推移が認知しやすいものとなっている。もとの状態と変化後の状態の違いによって、物語世界における時間を追体験しやすいものとなっている。それはちょうど、日常における時間の経験においても、人が太陽の軌道や時計の針の動きと距離によって時間を感じるようなものである。

1.4　物語と説明文

　説明文は、物語とは異なり、時間の進展はなく、時間を固定し、その中で普遍的説明を試みるものである。

　(43)はマングローブと海の浚渫についての説明文だが、述語はすべて非過去形となっており、時間の進展は見られない。

(43)　マングローブ_iというのは海_ii水にも生える木_iです。全部で四〇種類か五〇種類ぐらいありますが、それ_iが根_iを張って、だんだん海_iiのほうへ出て行く。つまり、マングローブ_iというのは、土地を造成しながら増えていく。

　　　だから現在でもマラッカ海峡_iiは浚渫_iiiされているのです。浚渫_iiiしなければ、おそらく数千年もすればふさがってしまうのではないか、という海_iiなのです。

（鶴見良行『東南アジアを知る―私の方法―』1995: 60 下線、ローマ数字は甲田 2016による）

　時間軸上に生起する事象を描くのではなく、マングローブと海の浚渫に焦点を絞り一貫した話題が取り上げられている。iマングローブ、ii海、iii浚渫に関する表現が指示語、同一語句、抱合概念、関連語によって、繰り返し言及される。同時点から一貫した説明を与えることが目的となっている。

　物語における時間の重要性は、英語のコーパスを調査したバイバー (Biber 1988) によって実証的に示されている。バイバーはテクストのジャンル（物語、学術論文、日記など）における言語的指標を多次元的に捉えている。このうち、物語調（特に小説に顕著）と非物語調のテクストを区別するものとして、過去時制動詞の多用を指摘している。

1.5　絵と時間

　絵は本来、物語のある瞬間を切り取ったものであるので、時間的展開は表しにくい。このため、絵巻には異時同図という手法が使われることがある。図31では、同一の図に、大仏祈願する尼が6人描かれている。この尼は同一人物で、時間展開中の局面を表している。参籠を始め（①）、身を整えまどろみ（②が

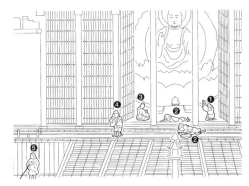

図31　異時同図法「信義山縁起」尼公の巻で、同じ人物を一場面に複数描き、時間の経過を表す（榊原悟2012: 121）

2つ）、大仏のお告げを受けて目覚める（③）、信貴山に向かって歩き出す（④、⑤）と5つの姿が一図中に描かれる。

　異時同図法以外にも、絵巻物では物語の進展の途中に霞や風景を描くことで場面を分割し、場面転換を表すことがある。物語にとって、時間の展開は重要な要素である。

　一方、マンガでは絵とコマ割りによって時間展開を表す。コマで割られたそれぞれの絵は、どこから描写するか、カメラアングル、ズームイン／アウトを組み合わせて描かれる。

　図32では学生服を着た人物が3度現れるが、これは別人物ではない。「コマ割り」と呼ばれる場面の分割によって、同じ人物が時間に沿って行動したことが示される。コマの数・大きさ・形状などを考慮してページ内に配置することで、迫力・緊張感・スピード感を表現する。コマ割り

図32　芥見下々『呪術廻戦』第1巻p.67

は平面という二次元の空間的広がりに、時間軸を与えるものである。

2. シンデレラ物語の描き方

多くの方は「シンデレラ」の物語を読んだことがあると思う。実際にこの物語を書いてみよう。そして、自分がどのような述語の形を使っているか観察してみよう。動詞は（終助詞などを別にすれば）文の最後に位置して、文の描き方を決める重要な要素である。

作成したシンデレラ物語について、次のことを観察しよう。

1. 動詞はルやウ、マス等で終わる形（食べる、行く、食べます、など；基本形）、タで終わる形（した、食べた等；タ形と呼ばれる）、「〜ている」の形（例：こき使われていた、食べていた、等；テイル形と呼ばれる）のうち、どのような形が使われているか。
2. 上記の動詞の形は、それぞれ物語の進行上のどういう場面で使われているか。
3. 背景を解説し、物語を演出する語り手が存在するかどうか。

タ形、テイル形とは日本語教育で使われる用語で、それぞれ過去形、進行形と呼ばずに動詞の形による命名である。

（44）は大学1年生が書いたシンデレラの物語である。物語での述語の形はどうなっているだろうか。

（44）【シンデレラ】

あるところにシンデレラという名の少女がいた。彼女は幼い頃に母を亡くし、その後しばらくして父が再婚した。継母には二人の連れ子がいて、どちらもシンデレラと同じくらいの年頃の女の子だった。新しい家族ができ、幸せに包まれたのもつかの間、今度はシンデレラにとって最も大切で愛していた父が亡くなってしまった。彼女は実の家族を皆失ってしまったのである。これが彼女にとっての悪夢の始まりだった。父が亡くなった途端に継母と連れ子二人がシンデレラをいじめるようになったのだ。美しく飾られた広いシンデレラの部屋は連れ

子に奪われて屋根裏部屋へと追いやられ、たくさんあったドレスを奪われたり破られたりしてシンデレラはあっという間にみすぼらしい姿になって<u>しまった</u>。毎日家事に雑用にこき使われ、少しでも不備があれば罵声を<u>浴びせられる</u>。そんな日々を過ごしていたシンデレラだったが、彼女は心の美しさだけは<u>失わなかった</u>。いつか夢はかなうと信じることをやめなかった<u>のである</u>。

（大学1年生）

　このシンデレラ物語はタ形と非過去形の両方が使われている。筆者が大学生にシンデレラ物語を書いてもらったところ、タ形だけで書く人と、部分的に非過去形を用いて書く人が見られた。非過去形を用いる部分は「なんとしたことでしょう」「王子様はどうしたらよいかわかりません」など、解説や心情描写などが混入する際に用いられていた。

　（45）は別の書き手が書いたシンデレラの文章である。タ形と非過去形が混在しており、最後の文にテイル形が用いられている。

（45）　シンデレラは美しい、気立てのやさしい少女です。けれども幸福ではありません。なぜならシンデレラの母は継母で、ことごとに彼女につらくあたるからです。継母が自分の子供ばかりを可愛がって 継子をいじめるというのは一種の偏見にすぎませんが、それはこの際どうでもよいことです。とにかく、シンデレラは、いつもボロを着せられ、つらい仕事にこき使われ<u>ていました</u>。

（牧野成一 1983）

　（46）、（47）は、シンデレラがガラスの靴を履いた場面である。それぞれ「入りました」「合いました」という述語の形になっている。

（46）　シンデレラがその靴をはくとぴったり<u>入りました</u>。

（牧野 1983）

（47）　お母さんやお姉さん達がそんなはずはないと目を見はる中で靴はシンデレラの足にぴったり<u>合いました</u>。

（牧野 1983）

　これらを「入っていました」、「合っていました」というテイル形にすると

不自然なものとなってしまう。

　物語におけるテイル形は、背景の説明に好んで使われる。これに対してテイル形を伴わない形（「入りました」「合いました」）は物語の中で中心的事象を描く際に用いられる。シンデレラの話で言うと、「シンデレラの足にガラスの靴がぴったり合った」ということは、物語上、重要な出来事である。このような重要な出来事はテイルが付かない形が用いられる。これに対して、何か事件が起こる前の状態（シンデレラが継母にこき使われていた）や、背景の説明にはテイル形が用いられる。

3.　物語におけるテンスとアスペクト

　テンスとは、日本語で時制のことで、現在（発話時）を基準として事態が過ぎ去ったのか（過去）、まだなのか（未来）を表し分ける文法的概念である。ただし日本語の場合、現在と未来は区別されないので非過去形と呼ばれることがある。例えば、「食べる」（太郎は海鮮丼を食べる）は現在のことか、未来のことかは区別されない。過去は「食べた」（今日の朝ごはんはバナナを食べた）であり、日本語の時制は「過去〃現在・未来」という分割になっている。「海賊王におれはなる」（尾田栄一郎『ONE PIECE』（ワンピース）の主人公ルフィの台詞）は、現在ではなく未来への意志である。言語によって文法的概念の表し分けの細かさは異なる。

　アスペクトとは、出来事の内的時間に対する視点の相違を表し分ける文法範疇である。述語動詞は、物語の時間概念の結束性に貢献している。

　工藤真由美（1995）によると、アスペクトは、テクスト・談話における複数の出来事の時間的順序性（継起性・同時性・時間的後退性）を表し分ける手段として機能している。そして、「タクシス（taxis）：時間的順序性」という概念を紹介し、出来事間の連鎖の時間関係であり、1つの出来事の他の出来事との外的時間関係を表すとしている。

　例えば、次のユリウス・カエサル（紀元前1世紀のローマの軍人、政治家、文筆家。ジュリアス・シーザー（Julius Caesar）は英語読み）の例「来た、見た、勝った」では、テンス、アスペクト、タクシスのそれぞれの機能を担っている。

（48）　ユリウス・カエサル　「Veni, vidi, vici.」「来た、見た、勝った」

　　　テンス：過去

　　　アスペクト：完了

　　　タクシス（時間的順序性）：継起性

　この簡易な3文は、エジプト平定後、「戦いの地に来て、状況を見て、戦いでファルナケス2世に勝った」。これを、ローマにいる腹心のガイウス・マティウスに送った戦勝報告だという。結果を簡略に並べている。

　スルーシテイルの対立は、期間の長さによるものではない。

（49）　マムルーク朝は1250年から1517年まで約250年間にわたってエジプトとシリアを支配した。

　　　　　　　　　　　　　　　　　　　　　　　　　　　　　　（エジプト史）

　たとえ何百年の期間であっても、スルは短い期間の如く表現し、次の記述へとつなげていく形式であるのに対し、シテイルは、時間の流れを止めて、その時点で起こりうるであろう事柄の背景となる。

（50）　ルフィは旅を続けていた。ある日、大きな鳥が飛んでいるのを見つけた。

　　　　　　　　　　　　　　　　　　　　　　　　　　　　　　（作例）

　第1文がテイル形となっている。旅を続けていたことは背景となり、これから事件となる大きな鳥の発見が描かれる。

　テクストにおけるテンスやアスペクトの使い分けは事象の性質や動詞の種類によって決まるというよりも、テクスト全体の中での相対的価値によって決定される。ホパーの一連の研究（Hopper 1979, Hopper and Thompson 1980）では、物語の中の主要な出来事、主筋の事象と副次的事象が別の時間軸を持つこと、そしてそれに対応して異なる動詞の種類が用いられることを指摘している。すなわち、相対的に「目立つ」事象とそれを説明し、敷衍（ふえん）する「ワキ」の事象である。

　物語の主筋は、時間的順序で述べられ、完了形が使われる。これは、1つ

の事象が、次の事象の前に完了していなければならないためである。そして物語の副次的事象は、主筋の事象と時間的に一定の順序に従っているわけではなく、主筋の事象を説明し、敷衍する目的に使われる。主筋の事象と同時的であるため、その動詞は継続的、状態的で未完了を表すものが使われる。

　物語は一般に全ての出来事が同じスピードで描かれるのではなく、すべての登場人物も均等に描かれるのではない。前景化と背景化を描き分けながら話は展開する。

4.　物語の時制の日英対照

　（51）は芥川龍之介の「蜘蛛の糸」の冒頭の部分である。述語にタ形、非過去形のどちらが用いられているか調べよう。それぞれどのような場合に用いられるだろうか。

（51）　ある日の事でございます。御釈迦様は極楽の蓮池のふちを、独りでぶらぶら御歩きになっていらっしゃいました。池の中に咲いている蓮の花は、みんな玉のようにまっ白で、そのまん中にある金色の蕊（ずい）からは、何とも云えない好い匂いが、絶間なくあたりへ溢（あふ）れて居ります。極楽は丁度朝なのでございましょう。

　　　やがて御釈迦様はその池のふちに御佇（おたたず）みになって、水の面（おもて）を蔽（おお）っている蓮の葉の間から、ふと下の容子（ようす）を御覧になりました。この極楽の蓮池の下は、丁度地獄の底に当って居りますから、水晶のような水を透き徹して、三途の河や針の山の景色が、丁度覗（のぞ）き眼鏡を見るように、はっきりと見えるのでございます。

　　　するとその地獄の底に、犍陀多と云う男が一人、他の罪人と一しょに蠢いている姿が、御眼に止りました。

（芥川龍之介「蜘蛛の糸」）

　タ形と非過去形の両方が混在している。「ございます（非過去）」→「いらっしゃいました（タ形）」→「溢（あふ）れて居ります（非過去）」のようにである。御釈迦様の行動がタ形で表されるのに対して、背景となる状況説明では、例えば

「ある日の事でございます。」「好い匂いが、絶間なくあたりへ溢れて居ります。」「極楽は丁度朝なのでございましょう。」のように、非過去形が使われている。

次は「蜘蛛の糸」の英語訳である。

(52)　One day, the Lord Buddha was taking a stroll beside the Lotus Pool in Paradise. The lotus blossoms were the color of precious white jade, and from the golden stamens in their centers an exquisite fragrance wafted into the air. It was morning in Paradise.　　　　　(Dorothy Britton (tr.) *The Spider's Thread*)

日本語の場合、タ形と非過去形が混在しているが、英語では、テンスの混交は通常は不可能である。英訳では、時制が過去形に統一されているため、全体的に淡々とした情景描写となっており、まるでその光景を別室から観察しているように感じるかもしれない。一方、日本語では、花の描写に非過去形が使われ、「極楽は丁度朝なのでございましょう」というように、現在推量の表現がとられており、臨場感が感じられる。

樋口万里子・大橋浩 (2004) では、日本語と英語における時制を複文から小説まで広く扱っている。それによると、英語では時制の選択は発話時を基準として固定されているのに対し、日本語の時制は発話時以外にも選択基準時があり、流動的に、ある事態をどこから眺めるかによって変化する。非過去形は事態の途中、または事態がこれから起きるという時点に、タ形は事態が終わったものとして見える時点にと、事態をいろいろな方向から眺めるのが日本語である。日本語では描写の中心は英語のように発話時の発話者ではなく、あくまでも事態を中心として相対的に描かれる。このため、作中人物の視点による主観的世界と読者は同化しやすい可能性がある。

野田尚史 (1992: 586–588) によれば、日本語の場合、小説では、過去のことを表すために基本的にタ形だけを使う文体と、タ形の中にル形を混ぜる文体の2つがあり、これらを混ぜて使う文体の方が、はるかに多いという。野田は、次の (53) のように、過去のことを言うのにル形をほとんど使わない文体は、村上春樹、堀辰雄の『風立ちぬ』、井上靖の『しろばんば』、辻邦生の

『雲の宴』、宮本輝の『夢見通りの人々』等に見られるという。

(53)　水曜日の講義で、僕は緑の姿を<u>見かけた</u>。彼女はよもぎみたいな色の
　　　セーターを着て、夏によくかけていた濃い色のサングラスを<u>かけてい</u>
　　　<u>た</u>。そしていちばんうしろの席に座って、前に一度見かけたことのあ
　　　る眼鏡をかけた小柄な女の子と二人で話を<u>していた</u>。僕はそこに行っ
　　　て、あとで話がしたいんだけどと緑に<u>言った</u>。

（村上春樹『ノルウェイの森（下）』p.190）

　一方、次の（54）のように、ル形も混ざる文体は村上龍、井上ひさし、田
辺聖子をはじめ、多くの作家の作品に見られるという。

(54)　テニスボーイはリンゴの礼を言ってコートを<u>離れた</u>。コジマさんは壁
　　　打ちを<u>続けている</u>。奥さんはFの字を<u>編んでいる</u>。コジマさんは、暗
　　　くなってボールが見えなくなるまで壁打ちを<u>止めないだろう</u>。

（村上龍『テニスボーイの憂鬱（上）』p.56）

　以上、物語内で時間がどのような手法によって再現されているのかを見て
きた。物語内に流れる時間を追体験することは、経験の共有に欠くことはで
きない。本章で扱った漫画におけるコマ割り、カメラワークや、動詞におけ
るテンスとアスペクトは時間の再現にとって重要な要素である。

┃コラム┃ 物語、昔話、神話、伝説

　物語に似た用語として、昔話、神話、伝説がある。それぞれに重点の置き
方が異なり、示す対象が異なる。
　まず物語は、昔話、神話、伝説を総称して物語と呼ぶことができる。伝説
は具体的な人、時と場所を指定し、真実との関係に重きを置く（それを信じる人
がいる）が、物語は「むかしむかしあるところに」と漠然と時空間を指定（とい

うより具体性をぼかす）し、真実性との関係に重きは置かれない。昔話はその名の通り、昔の話（とくに物語）である。

　神話は、国や民族の創世に関わる一回的な出来事を語った物語で、その内容を伝承者は真実であると信じている。もちろん、時代とともに神話の捉え方は変化している。神話はかつて絶対的影響力を持っていたが、時代性と共に捉え方は変化している（松村一男 2018 に学説史がある）。

　一方、トンプソン（Thompson 1946）は民間説話（folktale）の形式として、以下のような多様な事例を挙げている。

メルヘン（Märchen（独））：場所人物を設定しない空想の世界の出来事を扱う。
　　　　　　　　　　　　　英語に該当語は存在しないとされる。
神話（myth）：現在の秩序が始まる起源についての話
寓話（fable）：動物昔話で道徳的目的を持つもの
伝説（legend）：特定の聖人の伝記
サガ（saga）：スカンジナビア、アイスランドに代表される英雄の物語文学

　物語、神話、民間説話等、多くの呼び名があり、それぞれに重なりを持ちつつも焦点の置き方は異なる。

　レヴィ＝ストロース（Lévi-Strauss 1979）によれば、アメリカのインディアンには神話と民話を区別し、それぞれ異なる名で呼んでいる部族が多いという。神話を語ってよいのは1年で半分だけだが、民話はいつでも語ってよい、という。神話を聞く時にはある決まった態度や姿勢を取らなければならず、それに反する態度をとれば、その個人のみならず、集団全体にいろいろな災いが起こると考えられている。そして、神話と民話の違いについて、神話の扱う重要なテーマは民話にも見られるが、民話では宇宙論から解放されて、むしろ社会生活に結びつくものとなっていると述べている。超自然の力の座でもある天上界と地上の住民が交わりを持てるようにする方法は、多くの神話が語るが、民話では王様と羊飼いの娘との結婚を語るものとなる。

　神話は聖なる物語であり、世界・人類・文化などの起源を語り、その存在理由を基礎づける（創世神話）。創世の土台であるから、神話が述べる出来事な

どは不可侵であり、規範として従うべきものとされる。

　柳田 (1933) は神話は神聖なものであり、退屈なときに話す話の類とは異なると述べている。定まった日時に定まった人が定まった方式で語り、聞くものが悉くこれを信じるものである。神聖に扱われていたものが、だんだん信仰が衰えて、その部分に力を入れて説かなくなると昔話として扱われるようになった。しかし、蛇に魅入られて子を産んだという類の話なども、人はこれを願わない、いみ恐れて避けたはずであるが、それでもその女は美女であり、旧家の娘であるなど、有り難きものと考えていた断片が昔話にも残っているという。神代の正史に二代までも引き続いて海の神との縁組み、竜女を御妃としたのも、雨を乞い水神様を渇仰していた国の価値観を反映している。

　神話は遠いものではなく、長い間、人間社会と強い関係を築いてきた。ギリシャ神話に登場する女神ニケの英語読み「ナイキ」は、スポーツメーカー「NIKE」の社名となり、ロゴはニケの翼を表している。アキレス腱はギリシャ最強の戦士アキレウスの唯一の弱点である踵からきているし、愛と美の女神アフロディーテの息子で愛と恋の神エロスも馴染みが深い。オペラや絵画などの芸術作品のテーマとなったものも数多く存在する。

［コラム］ 言語研究とインターネット

　インターネットを利用した言語情報の検索・収集、さらには分析ツールの開発が進められている。巻末 (註) に付したURLリストにあるように、本書も情報のデジタル化とオンライン化という情報革命の恩恵を受けている。

　コーパスの整備は世界的規模で進展している。国立国語研究所や国立情報学研究所によるコーパスの編纂・整備、多言語コーパスでは、TalkBank (カーネギーメロン大学のBrian MacWhinneyによるプロジェクト：CHILDES (Child Language Data Exchange System) を含めた多くのデータが収められている) 等がある。他に、アメリカ現代英語のテレビ、ラジオ、新聞、雑誌などから収集されたCOCA (Corpus of Contemporary American English)、現代イギリス英語の代表的なコーパスであるBritish National Corpusなどがある。

一定の範囲の言語を収集、格納したコーパスやデータベースの他に、作品全体を電子化・公開するプロジェクトも存在する。プロジェクト・グーテンベルク（Project Gutenberg）は、パブリックドメインの文学作品を提供しており、2023年現在、7万冊が格納されている。日本では国立国会図書館による蔵書のデジタル化や、日本の近代文学の作品、著作権が切れた作品を提供する青空文庫の試みがある。

　テクストや音声の解析は解析ソフトがインターネット上で公開されている。例えばWeb茶まめ（p.102参照）による形態素解析、Praat（p.230参照）による音声分析がある。

　その他に、単語の頻度や関連性を可視化するツールVoyant Toolsが公開されている（https://voyant-tools.org/）。本書の図1で示したWordCloudは他社のものだが、分析結果の可視化を行う点では共通している。どちらも、Web環境で使えるよう工夫されている。

　言語資料以外に、絵画や歴史的遺物の画像のデジタル化と公開の動きが進展している。本書に掲載したものでは、大英博物館コレクション、国立国会図書館デジタルコレクション、ウィキメディア・コモンズ（Wikimedia Commons）による画像がある。情報のデジタル化とオンライン化により、資料の入手、分析が多くの人に拓かれる環境が構築されている。

第6章

構造主義と神話研究

　構造主義は言語学からはじまり、多くの人文社会科学の分野で影響力を持つに至った。その確立の過程で、ローマン・ヤコブソンらの音韻論と人類学者レヴィ＝ストロースによる人類学の研究は決定的な役割を果たした。レヴィ＝ストロースは、神話のテクストから人間の原始的な思考を紐解こうとした。

　本章では、音韻論、神話の分析をとおして、構造主義を見ていく。

1. 構造主義とは

　構造主義とは、一言でいえば、ことばをはじめとする記号の意味を、その「構造(ネットワーク)における価値」と捉えるものである。この考えはスイスの言語学者フェルディナン・ド・ソシュール (Ferdinand de Saussure 1857–1913) によって創案された。

　ソシュールによればことばの意味は、対象となる事物それ自体の中にあるのではなくて、記号系のネットワークの中にある差異の体系として存在する。アリストテレス以来、記号の意味は実物を差し示すもので、実物と対応したものだとされてきた。これを実物主義と呼ぶとすると、ソシュールは、ことばの意味は実物にあるのではなく、記号系の価値によって決まると主張した。実体主義から構造主義への言語論的転回である。

　構造主義の登場以降、多くの分野が記号系としての現実の把握に取り組んだ。要素を取り出し、その要素の性質を二項対立(素性の有無：＋持っている／−持

っていない)として捉え、要素の特徴の束によって現実が記述できると考えた。

　例えば、「あか」(赤)ということばの意味は何だろうか。他の言語の使用者に「あか」の意味を伝えようとして、赤いもの(実物)をいくつ提示しても不十分である。なぜなら、赤には、深みのある赤、濁った赤、明るい赤など、さまざまな赤が存在し、赤という記号が担う意味範囲はわからないからである。そこで、構造主義では、赤の意味は、オレンジでもなくピンクでもないという、その違いに、記号の意味の範囲があると考えるのである。

　図33は色度図での位置と色名の関係を表す。連続した色をどこで区切るかが記号(色名)の指し示す意味である。例えば「赤」の意味(図の右下)は橙、ピンク、紫との区分けによって決まる。また、色名の数は言語によって異なるため、ことばが表す範囲は言語によって異なる。

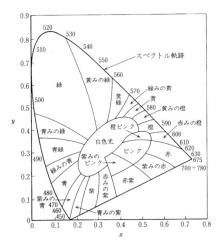

図33　光の色の特性を数値で表した色度を平面座標の点として表示した図形 (松田隆夫1995: 238)

　ソシュールは、意味するもの(シニフィアンsignifiant (仏)、記号)と、意味されるもの(シニフィエsignifié (仏))との関係は恣意的(たまたまそうなったというだけ、必然性はない)であると説いた。それは各言語の慣習によって決まっているだけで、言語が違えば現実の切り取り方は異なる。ソシュールによって、記号としての言語は、実体ではなく体系内の価値と結びついた。

2. 音韻論的対立と意味

　構造主義が特に成功したのは音韻論の分野である。音声学が音声全般あるいは、実際に話された (る) 音声の分析であるのに対して、音韻論は、ある言語体系に占める音声の位置づけを扱う分野である。

　構造主義は、記号それ自体を直接検討するのではなく、全体の中での記号の価値を検討することによって、記号の意味を捉える。例えば、[p] に近い音は気音の強弱や硬口蓋化の程度など無限にあるが、単語の区別という手続きによって1つの音素/p/にまとめられる。/pan/ と /ban/ (パンと番)、/pin/ と /bin/ (ピンと瓶) など、単語の区別に貢献するという性質に着目することにより、ある言語内での弁別特徴として音の価値を捉えることができる。

　音声学的な表記は [ ] で囲み、音韻論的な表記は/ /で囲む。例えば、短歌 [taŋka] と檀家 [daŋka] は、それぞれ異なった知的意味を持っているので、この区別をしている /t/ と /d/ はそれぞれ、日本語において独立した音素となる (このように音素を抽出する際に作るペアを最小対、ミニマルペアという。そして/t/ と /d/ は短歌と檀家という単語の区別に貢献する音素である)。/t/ と /d/ の違いは、調音点と調音法が同じだが、有声か無声かが異なるという点にある。

　　/t/ ＋歯茎、＋破裂音、−有声音
　　/d/ ＋歯茎、＋破裂音、＋有声音

　音は二項対立要素の組み合わせによって記述されるので、差異を明確に記述できる。

　また、「ん」という音は、後ろにある音によって異なる発音となるので、新聞 [shimbɯn] では「ぶ」(bɯ) の前は [m] の音だが、進学 [shiŋgaku] というときの「が」(ga) の前は [ŋ] の音、身体 [shintai] のた (ta) の前の音は [n] になる。試しに、「新聞」を発音しようとして途中の「しん−」で止めてみてほしい。新聞と言おうとすると唇は閉じている (mは両唇閉鎖音) だろう。逆に、進学や身体と言おうとして「しん−」で止めると、唇は閉じておらず、舌の位置は次の音を発する準備をしているのではないだろうか (これを逆行同化と

いう、後ろの音に前の音が影響される)。「ん」には[n]、[ŋ]、[m]の異音があるが、共通して「ん」/N/としてまとめている (特殊拍という)。ちょっと発音しにくいが、もし新聞[shimbɯn]を[shinbɯn]と発音しても知的意味は異ならない。試しに「ん」の音を別の音[n]、[ŋ]、[m]で話してみよう。ちょっと変だが、十分通じるだろう。実際の音が多様でも、ある言語内で価値として同一ならば、同一の/N/という音素でまとめるのである。

　実際の音声として異なっても、ある言語内 (体系内) での価値として同じであれば (すなわち意味の区別に貢献しなければ)、同等に扱われる。多くの多様なもの (強いt、弱く発音したt、ささやくt) も、知的な意味の差に影響を与えなければ、まとめて (範疇化して) 扱うことができる。そして、その言語内で意味の区別に貢献する場合は音素として弁別され、抽出される。このことの利点は、差異が一目瞭然となること、そして複数の異なる体系間の比較が可能になることである。

　言語を無駄のない‘きれいな’構造に当てはめる試みは、意味カテゴリーにも適用された。意味論に登場する単語bachelor (結婚をしていない男性) は[+HUMAN]、[+MALE]、[+ADULT]、[-MARRIED]という素性の集合で表される。これらの素性の一つでも欠けている場合 (例えば成人していない男の子) は、bachelorには適合しないことになる。これらの素性の捉え方は、構造主義をはじめとする自律的言語学の主要な位置を占めてきた (Taylor 1989: 24)。

3. 神話の構造分析

　神話や昔話の中に存在する抽象的要素 (例えば「禁止 (振り返ってはいけない、覗いてはいけない、等)」や「子のない老夫婦が子を授かる」「謎解き」など) を取り出し、それらが話の中でどのように実現されているかを比較することで、話の共通点と相違点が見えてくることがある。神話や昔話は世界に散在し、多様なバリエーションが存在するが、抽象的要素を取り出し、話の中での位置づけを考えることによって、少数の要素で検討することができる。

　音韻論の考え方はプラハ (プラーグ) 学派の中で発展し、この学派の代表的人物の一人で、後にアメリカに亡命したローマン・ヤコブソンによってさら

に発展した。人類学者、レヴィ＝ストロースは同じく亡命先のアメリカで言語学者ヤコブソンの影響を受け、親族の組織体系（と婚姻システム）の研究で、人類学における構造主義の有効性を決定づけた。後に、彼のライフワークとなった神話研究は、10年もの歳月をかけて、4巻に及ぶ『神話論理』（『生のものと火にかけたもの』、『蜜から灰へ』、『テーブルマナーの起源』、『裸の人』）として結実した。

　レヴィ＝ストロースは神話を分析する際に、体系内での価値や二項対立など、構造主義の手法を用いた。『構造人類学（*Anthropologie Structurale*）』（1958）と題する著書にあるように、自らが構造主義を標榜している。

　なぜ彼は神話を研究対象として選び、構造主義的分析を施したのだろうか。それは、神話には人類の原始的思考が織り込まれており、それを紐解くために記号系の要素対立から厳密にテクストを分析するためである。そして神話にある原初的な矛盾、未整理の思考こそを高く評価する。

　「神話の研究はわれわれを矛盾した認識に導くのだということをみとめようではないか。神話の中では一切が起こりうる。見たところ、そこでは諸事件の契機はいかなる論理あるいは連続性の規則にも従わない。（1958: 230）」と述べている。

　この記述は、神話が矛盾を内包するものであり、辻褄が合わないことをよく捉えている（筆者も神話や昔話を読んで「わかった」という気持ちになれなかった経験が何度もある）。『野生の思考』（1962）では、近代西欧の科学的思考と対比し、未開人の神話的思考を高く評価している。これまで非合理的とされていた未開人の神話的思考は、象徴性を用いた感性に基づく世界の組織化であり、これもまた一種の科学なのである、と言うのである。効率を高めるために栽培種化された西欧的科学思考に比して、野生の思考と名付けられたその思考は、近代西欧の科学的思考に劣るものなどではない。

　野生の思考の例を挙げれば、神話では、一切の時間は統合されて提示される。神話は、太古の出来事を物語として語り、同時に現在の状況の説明でもあり、将来をも説明する。時間だけではなく、神話は、論理、時間、価値などをすべてひとまとめにして扱う。彼が複数コードまたは多重コードの使用と呼ぶものである。我々なら全く別々の学問に属するものとして、違った原理で説明しようとするような事柄を、この大きな1つの仕組みの中に押し込

んでしまおうとする。野生の思考は、飼い慣らされた思考に劣るものではなく、超自然的力、宇宙的神秘と分離せずにいた時代の豊かな感覚を内包したものである。

　このような神話の特性を、テクストを厳密に精査することにより、要素を抽出するのである。神話を解明できるのは、レヴィ＝ストロースによれば、二項対立をはじめとする構造主義によるアプローチである。多様なあらゆる具体的事物、つまり、視覚、味覚、触覚、嗅覚などの感覚の捉えた事実であろうと、社会生活の経験であろうと、すべて二項対立の総和に還元していく。これは、ソシュールによって開始され、ヤコブソンらによる音韻体系の研究をとおしてレヴィ＝ストロース自身、親族構造の研究で成功を収めた、構造主義の手法である。

　レヴィ＝ストロースによる北アメリカのインディアン、サリッシュ族の神話の分析を紹介する。

　サリッシュ・インディアンは、北アメリカの北西部全体に数百kmにわたって広がっている言語集団である。このサリッシュ・インディアンの神話では超自然的存在に3つの型があり、いずれも女である点で共通している。①〜③として示す。

①決して自分の姿を見せず、話しかけても口もきかず、自然にできた井戸の底に棲み、頼むと美味しい料理の入った皿や鍋を水面に運んでくれる女。火を使って料理したごちそうを男たちに供給してくれるという点でこの女たちは妻として振る舞う（＝井戸の妻）。
②造物主が、魔法で鮭の白子を娘の姿に作り替えたもの。造物主が女たちを娘として取り扱う限りは、娘の方も親切に振る舞うが、男が邪悪な欲望を抱いて妻にしたがったりすると姿を消してしまう（＝白子の娘）。
③造物主が何か問題があって助言を必要とするために魔法を使って自分の糞便（火にかけた食物と解釈されている）で作る妹。大変なおしゃべりで、造物主が助言を必要とする時には直ちに意見を述べる。造物主は助言に満足できないと、妹を豪雨（天の水）で溶かしてしまうぞと脅す。妹なので妻

にはできない（＝糞便の妹）。

表2は、それぞれの型の女たちを6つの対立によって整理したものである。

表2　サリッシュ・インディアンの神話における女 (Lévi-Strauss 1971: 380, 1979: 71)

	井戸の妻	白子の娘	糞便の妹
流水／静水	−	+	+
地の水／天の水	+	+	−
火にかけた食物／生の食物	+	−	+
作る女（機能）／作られる女（対象）	+	−	−
婚姻的／非婚姻的	+	−	−
言語的／非言語的	−	+	+

対立要素の組み合わせによってそれぞれの型の女が規定され、比較しやすくなっている。

4. 作品の構造を読み解く

このような二項対立の手法は、様々な作品分析につながる。物語において善と悪、都市と農村、貧困と富裕、自由と束縛などが対比的に描かれることがある。

河野真太郎 (2017) が挙げる、1つの例は、細田守『おおかみこどもの雨と雪』(2012) である。シングルマザーの「花」が、自分とオオカミとの間にできた二人の子を抱え、困窮する。子はオオカミであるため世間に出せず、多くの社会的問題を抱え、都会から田舎に移り住む。

ここでの都会と田舎の対比は、単なる都市化の差異ではない (河野 2017)。近代的な非地縁・非血縁的な社会 (ゲゼルシャフト) が事情を抱える母子に福祉を提供できないこと、一方の地縁や血縁による田舎の

図34
『おおかみこどもの雨と雪』[13]

共同体（ゲマインシャフト：ドイツの社会学者テンニースが提唱した）が彼女らに生きる場所を与えるのである。田舎に移り住んだ「花」は、地縁や血縁による共同体に囲まれ、おおかみこどもの「雨」と「雪」も成長と自立を果たしていく。無縁であることが社会的排除をもたらさないような究極的な包摂社会（河野2017: 78）である。

　今度は「桃太郎」のテーマを見てみよう。英雄伝説の1つとも考えられるが、物語全体の描き方や登場人物の心理描写の仕方によって、様々にテーマは描かれうる。

　高田明典ら（2019: 62）によれば、桃太郎の主題の捉え方として、勝利の体現者を桃太郎に置くという解釈の可能性とは別に、周りの登場人物である老夫婦、犬、猿、雉の存在を挙げている。

　周りの登場人物に注目するなら、弱い者が強い者を倒せるという構図が浮かび上がる。高田の説を紹介すると、老夫婦はおそらく裕福ではない。桃太郎が鬼退治に行く際に、きびだんごをいくつかしか持たせられないのはそのことを示している。雑穀で作った団子を元に、桃太郎は犬、猿、雉の協力を得るが、戦力としてはなんとも心もとない仲間たちである。この3匹が、狼、熊、鷹という強力な動物ではないことが重要な意味を持っている。ある人たちが小さな力しか持っていなくても、それらの能力を最大限に活用すれば勝利を得られるという構図になるというのである。

　物語の根底にある「問題への取り組みと解決」は、「桃太郎」でいえば「鬼の退治」とそれへの勝利である。では、「竹取物語」はどうだろうか。かぐや姫は複数の男性から求婚（帝を含め6回）されるものの、結婚せず月へ還る。それでは何を解決し、何を得たのだろうか。

　「竹取物語」は「求婚の物語」として見ると、結婚するものがいないため成就されず何も解決されないまま終わり、物語としての完結性を失うことになる。高田（2019: 59）によれば、成就されるのは結婚とは逆の「結婚の拒否と月へ還ること」であり、「かぐや姫が結婚を拒否し、本来の私に戻る」ことが物語の主題と考えるのだという。主題は物語を貫くものであるから、最終的に本来の元の場所（月）に戻ることが主題となるはずである。高田は当時の女性から見た上昇婚への疑念が、この物語の主題に訴求力を与えていること

を指摘している。

　物語に潜む対立項を発見することで、そこで描かれる価値観が浮き彫りになるだろう。

5.　神話研究から見た構造主義の特質

　レヴィ＝ストロースは、神話の解釈を外から与えるのではなくて、神話それ自体の表現を吟味しながら、パズルや数式のように神話の中で解いてみせた。鍵となる項目を抽出し、それぞれの話を比較対照することで意味の解明に迫った。項目の持つ意味は、その神話の背景となる歴史、文化、衣食住、言語などを調べることで機能として探られるが、パズルのピース自体は神話の中に求められる。これは、ヤコブソンの詩学 (第7章参照) が、ぎりぎりまで言語の形式を問い詰めた姿勢とも共通する。この点は、ランク (Rank 1908) が、神話の解釈を神話の外の部分である人間の深層心理に求めた (第9章参照) のとは異なる。

　構造主義はレヴィ＝ストロースの応用によって、人文社会科学をはじめとする多くの分野で利用された。しかし彼は、「実のところ、真の構造主義が可能なのは、言語学と民俗学の分野だけだと私は思います。(Lévi-Strauss 1979: 130)」と述べている。構造分析がもたらした成果は、人類学の分野でいえば、2つの領域、すなわち親族組織の領域と神話の領域に限られている (同 130) という。

　構造主義が広範な分野、現象に適用されている現状について、「非常に複雑な現象、例えば大規模な歴史現象の総体といったものの構造分析を企てることが、妥当だとも可能だとも思わないし、観察者の予断なり関心なりがあまりにも直接に関わってくるような現象に構造分析を適用することも、やはり、可能とも妥当とも思わないのです。(同35–36)」と述べている。その理由として、構造主義が適用できる対象としては、比較的小規模な現象であり、生活社会総体を構成している諸現象から分離可能な現象でなければならず、しかもそれに変数還元の操作を施しうる現象でなければならないと述べている。

そして、構造主義が言語学において最も成功した理由として、言語活動がその他すべての現象から比較的、分離可能な現象であり、必要に応じて言語の社会的機能を捨象し、音韻論、文法論といった厳密に言語学的な変数にのみ注目することができることを述べている。

　レヴィ＝ストロースはいう。

　「人類学は、すべての人間科学のうちで、おそらくは最も野心的な学問であります。それは、人間についてのトータルな研究を目論んでいます。それも、いろいろな観点から見てトータルな研究を、です。(同53)」

　「さらに人類学は、もっとも物質的なものから最も精神的なものまで、人間生活のあらゆる側面に関心を持ちます。道具に、農耕技術に、あるいは狩猟技術に関心を持ち、同時にまた、宗教的な信仰、法律上の規則、様々な制度にまで関心を持つのです。(同54)」

　人類に関する現象は広範であり、人類学とは人間の営むすべての活動を対象とする学問である。このような状況にあって、変数の量が私たちの記述能力、識別能力を超える場合でも、事物を個別に検討する代わりに、事物間の関係を考察することで、関係の体系を理解し、人間の理解に取り組むことができるのである。「関係してくる膨大な量の変数を制御して、そのいくつかだけを取り上げるような手段を発見しない限り、私たちは、この資料の海で溺れかねないことになる。」そのための手段が構造主義なのである。例えば数千の要素があったとして、それらを個別に検討している限り、全体を見渡す視野は開けない。そこで要素間の関係を捉えようというのである。

6. 構造主義の限界

　現象からの変数の抽出とは、構造主義にとって強みでもあり制限でもある。

　構造主義は、変数を抽出することにより、実体から離れ、記号系の価値を議論できるようになる。しかし、その反面、実体との関係を軽視していると

の批判も出た。例えば、各言語の色の命名は恣意的なものではなく、系統的に無関係の言語にも共通性があることがバーリンとケイによって指摘されている（Berlin and Kay 1969、Kay and McDaniel 1978の基本色彩語彙の研究）。

　記号を実体から区別すること（自律論仮説）への疑念も出されている。構造主義は、分析の対象がその他の現象から比較的分離しやすいものである必要がある。取り出す現象は研究者が分離するため、本質的には分離の正当性は保証されていない。構造主義が適用可能な分野を見極める必要がある。

　人類学者マリノウスキー（Malinowski 1937）は次のように著している。

（55）　私たちは言語を独立した研究対象として扱うことが可能であろうか。
　　　　語のみに関する科学、あるいは音声学、文法、辞書学といった正当な
　　　　科学は存在するのであろうか。　それとも、ことばに関するすべての
　　　　学問は、言語学を文化に関する一般科学の一部門として扱うことに至
　　　　らなければならないのであろうか…（中略）…ラングとパロールの区別
　　　　は、ド・ソシュールやヴェーゲナー（Wegener）にまで遡り、いまだビュ
　　　　ーラー（Bühler）やガーディナー（Gardiner）などによって支持されている
　　　　が、いずれ断念されなければならないだろう。言語は独立した自己充
　　　　足的な研究対象であり続けることはできない。

（Malinowski 1937: 172; Taylor1989, 1995, 2003: 39）

　認知言語学を概観したテイラーは、その著『Linguistic Categorization（ことばの範疇化）』において、範疇化は慣習の問題ではなく、生物的、認知的な基盤を持つものとして描かれる。Taylor（1989）では、色彩語彙をはじめとする多くの事例から、大きくは3つのアプローチ（アリストテレス以来の古典的アプローチ、構造主義的アプローチ、認知的アプローチ）を相対的に描いている。

　アリストテレス以来の実体主義と異なり、構造主義では記号の価値は、関係のネットワークの中で相対的に決められる。構造主義の説明によれば、ことばの差異の体系は特定の言語や文化にある、所与のものとして恣意的に、一気に与えられていることになる。言語が違えば表し方も異なるのはその一環である。

これに対して、認知言語学などの認知的アプローチは構造主義が持つ問題点を克服しようとする。ポスト構造主義として、ことばと指示対象との間の有契性が強調され、動機付けが探られてきた。

　人間の視覚は、およそ750万程度の色の違いを弁別できる (Taylor 1989)。しかし色彩語彙の数はそれほど多くないため、色名で色彩の範囲を分割していることになる。色彩のどの範囲を抽出して範疇化するかは、各言語によって恣意的に決まると考えられていた (構造主義的見解)。

　しかしバーリンらは、あまたの色の中で、基本語として抽出され、ラベリングされる色彩には言語間に普遍性が見られることを指摘した。これは、ことばの恣意性に疑いを投げかけるものとなった。

　基本色彩語とは、日本語であれば「黒」「白」「赤」「青」のように単一で一般的な色名である。一方、「ピンク」や「エメラルド」は他の言語や事物からの借用であり、「ブロンド」は特定の対象 (髪色) に限定しているので一般的とはいえない。「青緑」、「黄緑」は複合した命名であり、「緋色」は赤の一種であるので基本的な色名と見なさない。バーリンらは、系統の異なる言語に共通する基本色彩語の序列を見出した (全ての言語が持っていた色名は白と黒であり、次に赤、次に緑または黄…と序列が存在した)。

　この見方によれば、ことばは拡散する現実を単に切り取ったという、慣習化の問題ではなくなる。人類の認知には共通性があり、進化上、重要な色の認識の可能性を予測させるものである。ことばと人間の認知能力とを分離せずに有契性を求めるものである。

　人間に関する現象のうち、分離しやすい現象などあるのだろうか。すべてが密接に絡まり合っているのではないだろうか。レヴィ＝ストロースは言語は分離しやすい現象だと言っている (同130)。しかし言語学でさえ、言語の自律性 (モジュール) を疑い始めている。

スイスの言語学者ソシュール（フェルディナン・ド・ソシュール (Ferdinand de Saussure) の思想は言語学に深く根付いている。『一般言語学講義 (*Le Cours de Linguistique Générale*)』は、ソシュールの死後、彼の講義をもとに言語学者のシャルル・バイイ、アルベール・セシュエによって編纂され、死後1916年に公刊されたものである。以下にその重要な部分を紹介する。

1.　言語記号

　目に見える形や色、耳に聞こえる音など、知覚可能な指し示すものを能記（シニフィアン、記号表現）、意味を所記（シニフィエ、記号内容）と名付けた。

　能記（記号表現）　　　所記（記号内容）
　　「neko」　　　　　「🐈（ネコの概念）」
　　「cat」　　　　　　「🐈（ネコの概念）」

言語記号は最も精緻な表し分けができる記号の一種である。

2.　言語記号の恣意性

　言語記号の能記と所記の間に必然的関係がないことを言語記号の恣意性という。ネコ（🐈）という概念は、言語によってneko、cat、chatなどと呼び表されるが、その言語によってたまたまそう決められているためである。

3.　ラングとパロール

　私たちが使用することばは、年齢や性別、職業などによって、あるいは場面によって異なっているが、それでも共通な「日本語」というものが存在すると想定される。他者に意味を伝達し、そして理解し合っているとするならば、共通の基盤があると考えるからである。このとき、ある言語で共通に存在すると仮定される言語の姿をラング (langue)、そして個々に話されることばをパロール (parole) と名付け、区別した。

4. 通時言語学と共時言語学

　ことばは、時とともに変化する。ことばが時間軸に沿って変化する側面を通時態という。これに対し、ことばのある特定の時点を切り取り、時を共にした側面を共時態という。

5. 体系

　水田を見て、「コメ」が生えているとは言わず、「イネ」が生えていると言う。食するものは「コメ」であり「イネ」ではない。日本語の「コメ」は植物の稲の種実を指す。単語の意味は、他の単語との関係性によって決まる。

　ソシュールは、言語状態の変化についての説明で、次のように述べた。

　「時間の作用をいちおう無視したときの言語はこれを言語状態という。さて一の言語状態から他のそれへと移るのは、偶然のしわざによる。ちょうど将棋のこまの一手が体系の変化を予想せずに、しかも全局面を一変せしめるように、言語状態における一部分の変動がつぎの時点における言語体系の全面的変化をよびおこす。

　言語には差異しかない…所記をとってみても能記をとってみても、言語がふくむのは、言語体系に先立って存在するような観念でも音でもなくて、ただこの体系から生じる概念的差異と音的差異とだけである。(p.168)」

　この考えは、記号間の関係的な差異からなる体系としての「構造」を明らかにすることによって、ことばを把握しようとするものである。将棋盤にひしめき合っている駒の関係のように、1つが変われば他の意味の価値は変化する。このような構造のせめぎ合いの中で意味は決定する。価値は相対的で恣意的であり、個々には何も定められない。

第7章

物語作品の享受と分析

　芸術、娯楽作品は、人間の精神を癒やし、豊かにしてきたものの1つである。人間は音楽や絵画など、他の芸術と同様、物語や文学を鑑賞し、愉しんできた。

　物語や文学の魅力にことばの面から迫ろうとした分野に文体論 (stylistics) という分野がある。文体論は、文学をはじめ、テクスト一般の言語的特徴を捉えようとする分野である。

　本章では、物語や文学の魅力を捉える2つの観点である、文学の理論 (文学批評、文芸批評、文学研究などと呼ばれる) と文体論を対比させながら、言語学的文体論を紹介する。言語学の周辺分野を見ることにより、学問領域としての言語学の特徴が明らかになるであろう。

1.　言語学と文学との乖離

　物語や文学は、言語を媒介とした芸術であるが、言語を研究する言語学と、文学を研究する文芸批評とは、一定の距離があった。

　物語や文学から得られる感動や情動の体験は、それらを構成する「ことば」が関与して引き起こす現象であるはずだが、情動的意味は解釈や鑑賞の対象として扱われ、言語学の中心課題とはならなかった。一方で、文芸批評では、感動や情動を引き起こす文学の素晴らしさは、個々の作者の特徴として分析され、言語一般の記述を目指す言語学からは遠のいた。

　過去の文献の言語や内容の解釈を扱う学問分野に、文献学 (philology) があ

る。文献学とは、もともと、個別に使われた過去の言語（例えばギリシャ、ラテン文献）を読み解くことを目的として発達したもので、文芸批評と親和性が高かった。過去の文献の精査は、文献の内容と言語形式の両方を吟味することだからである。

しかし、近代言語学は、個別的な言語の実現（パロール）よりも、言語体系（ラング）の記述へと進んでいった。すなわち、個々の作者によって実現された特色ある作品の分析よりも、言語一般の記述を目指した。こうして、個別的な文献解釈は言語学から背景化されていった。20世紀後半から、言語学は文学テクストを避けるようになった（Fitzmaurice 2007）。言語一般の機能の解明を目指す近代言語学にとって、文学テクストは技巧を凝らした特殊なものと見なされたからである。

近代言語学が目指した「客観性」もまた、言語学から文学テクストを遠ざける一因であった。万人が認める意味に比べ、文学テクストが誘発する情意的意味は検証が難しいものである。ある作品の解釈や価値は万人に共通であるとは限らず、分析者の解釈を客観的に示すことは容易ではなかった。さらにいえば、それぞれの作品は、それが生み出された当時の文化や時代背景、価値観に照らし合わせて解釈すべきなのか、あるいはその作品の内部で解釈されるべきなのかについても双方の観点が存在した。

こうして言語学は文学から離れていった。

2. 文体論研究の位置づけ

テクストの特徴を捉えようとする分野には、文体論の他に、詩学、スタイロメトリー（stylometry）、テキストマイニング、テキストアナリティクスなどがある。例えば金明哲・中村靖子（編）（2021）では、スタイロメトリー、テキストマイニング、テキストアナリティクスの用語が用いられている。研究者によって多様な焦点の当て方と呼び名があるが、本書では文体論という呼称を用いる。

文体論で扱われる観点は多様である。個人の文体（例えば谷崎潤一郎の文体、芥川龍之介の文体）から、日本語の歴史的研究にあるような漢文訓読体・変体漢文

体・和文体などの類型的文体まで広くある。

　文体研究の歴史は古く、コンスタンティヌスの寄進状（ラテン語：Constitutum Donatio Constantini）が偽書であることを指摘したValla（1440）の研究がスタイロメトリーとしてOEDに言及されている（田畑智司2014）。また、シェイクスピア＝ベーコン説（『ハムレット』『リア王』『オセロ』『マクベス』などのシェイクスピア作とされる戯曲を書いたのは、実は哲学者で政治家であったフランシス・ベーコンであるという説）の信憑性を調べるため、それぞれの単語の長さを調べ、比較・検討したメンデンホール（Mendenhall 1901、シェイクスピア＝ベーコン説を否定した）など、古くから実証的な研究が存在する（村上征勝 2002）。

　共通する体系としての言語（ラング）の重視は、近代言語学から文学を遠ざけたが、その後、文学における言語を観察しようとするいくつかの機運が高まった。詩におけることばの機能に注目したヤコブソン（Jakobson 1960）による詩学（Poetics）の強調はその1つである。この論文は、言語の6機能＝心情的（emotive）、動能的（conative）、指示的（referential）、交感的（phatic）、メタ言語的（metalingual）、詩的（poetic）という有名なテーゼが盛り込まれている。言語学と文学を分離せずに、詩的機能を取り込み、「詩学は言語学の一構成部門である」と宣言した。「詩学は文学研究のうちで主要な位置をしめる権利を有」する。つまり、詩学は文学研究と言語学の両方に属するものである。詩学とは「言語メッセージを芸術作品たらしめるもの」を扱う分野であり、詩に限定されるものではない。ヤコブソンがいう文学研究"literary studies"は、評論"criticism"を意図していない。「言語芸術の客観的、科学的な分析」を指し、文学に対する評論家の独自の好みや意見を表明した声明文とは区別される。彼は形式こそ意味の無尽蔵の宝庫であると述べた。ヤコブソンの詩学について、土田・神郡・伊藤（1996: 33）では、文学と言語学における構造主義の影響を概観している。ヤコブソンは、詩学に言語学の方法を適用し、構造主義の道を拓いた。そしてそれはレヴィ＝ストロースによる人類学における構造主義の確立（第6章参照）に多大な影響を及ぼした。

　研究者によって呼び名は異なるものの、（言語学的）文体論も、ヤコブソンの「詩学」と同様、言語芸術の客観的、科学的な分析を目指している。次のウィドウソン（Widdowson 1975）、リチャーズ（Richards 1960）による言明から、文体論

が多くの人の具体的言語体験に訴える分析を目指していることがわかる。

　ウィドウソン (Widdowson 1975) は、文学作品を言語学の方向から研究することが文体論であると述べている。ウィドウソンによれば、言語学と文芸批評の橋渡しをする領域が文体論である。

　ウィドウソンは文体論と隣接領域の関係を図示した。

　斎藤兆史 (2009: 213) は、1958年にインディアナ大学で開催された文体学会 (Style Conference) でのリチャーズ

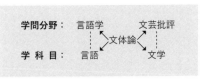

図35　文体論の位置 (Widdowson 1975: 16)

による次の定義をイギリス文体論の出発点であると述べている。

（56）　文体論の基本理念
　私が言いたいのは、今日、詩人の人格と結び付けられることが多い文芸批評の中には、読者が詩人の精神のありようや精神的遍歴を考え出し、それを読解に投射するきっかけとなった言語的な基盤——単語の力や詩の構成——を論じることでより成果が得られそうなものがあるということだ。

(Richards 1960)

　リチャーズのいうように、文学を解釈するための言語的な基盤を認めることは、文学の検討を批評家や伝統的な権威から解放する。文体論は、文学における言語的特性を分析することにより、文学を神秘的なもの、神聖なものとする伝統的な文学観を打破しようとした。

　このような主張は学校における言語教育と文学の関係を論じるウィドウソンと通じる。文芸評論家は、文学の知識を駆使して作品の解釈を行うが、一方、そのような知識が無い読み手は、いつまでも主体的な解釈ができず、専門家によるお墨付きの解釈をなぞるだけになってしまう。これに対して、文体論を駆使して文学作品を読むならば、教師の語る概念や美的効果と自分自身の言語経験とを結びつける道が拓ける。テクストとして文学を分析するなら、その作品を取り囲む文学的価値や解釈から離れて、分析者として作品と対峙できる。ウィドウソンによれば、文体論は解釈を限定するのではなく解

放する。自分で感じ取った意義をテクストの言語に照らし合わせて実証する方法を探せるようになる。

　文学における言語の特徴を分析することは、言語一般の特徴なのか、あるいはその文学作品に付随して起こる特徴なのか、境界が曖昧になる。これは文学以外のテクストについても同様であり、テクストの文脈から生じる意味なのか、そこで使われている言語自体の意味なのかという問題が生じる。このような循環をシュピッツァー (Spitzer 1948) は解釈学的循環と呼んでいる。文学テクストを分析する際に、純粋に解釈から離れることはできず、人文科学にとって解釈学的循環は避けられないという。人文科学における考察は、全体的洞察や予見によって達成されるという循環を持つが、これは人間精神の探究をするならば避けられないもので、決して否定的なものではなく、解釈学的「循環」が悪循環となるのは、直観が文学作品に対してふるう力が野放しにされた場合に限られると述べている。

　言語を明示的指標とする文体論においても、発想の着眼点は、作品を読んだ解釈にあり、作品全体の解釈に依存して指標が定められるともいえる。しかし、文体論では言語の使用を具体的に実証することにより、分析者の言語体験を提示できる点に特徴がある。

3.　文体論の観点

　テクストの特徴は、どのような観点に基づいて捉えられるだろうか。その一例として、テクストを品詞分解し、その作品の品詞の比率から、文体の特徴を求めた研究として樺島忠夫・寿岳章子 (1965) を紹介する。出版されてからだいぶ経つが、分析の着眼点を平易に説いており、近年の文体論研究でも頻繁に引用される文献である。当時の小説100作品から各作品80文を無作為抽出して分析している。80文ずつというのは、現代の計量的テクスト分析から見ると少なく感じるが、具体的分析の手順が伝わる内容となっている。

　まず次のテクストAとBを比べてみる。

（A）　道の右手には、道に沿うて一条の小渠があつた。道が大きく曲れば、

渠もそれについて大きく曲った。そのなかを水は流れて行き流れて来るのであつた。雑木山の裾や、柿の樹の傍や、庭の横手や、藪の下や、桐畑や片隅にぽっかり大きな百合や葵を咲かせた農家の庭の前などを通って、幅六尺ほどのこの渠は、事実は田へ水を引くための灌漑であったけれども、遠い山間から来た川上の水を真直ぐに引いたものだけに、その美しさは渓と言ひ度いやうな気がする。青葉を透して降りそそぐ日の光が、それを一層にさう思はせた。

（佐藤春夫「田園の憂鬱」）

（B）　稲の穂がだんだん頭を垂れてゆくにつれて、蝗の数は一時に非常に殖えて居た。犬は自分からさきに立って彼を導くやうにしながら田の方へ毎日彼を誘ひ出した。彼は目の前の蝗を見ると、時々、それを捉へて犬どもに食はせてやりたくなった。それで指を拡げた手で、その虫をおさへようとした。犬どもは彼等の主人がその身構へをすると主人の意志がわかるやうになったと見えて、自分の捉へかかって居るのを途中でやめて、主人の手つきを目で追うて、主人の獲物が与へられるのを待つて居るのであつた。

（佐藤春夫「田園の憂鬱」）

　AとBは同じ作品内の文章であるが、Aは色、状態、質についての描写が多く、Bは動き描写が多い。様態を表す語である形容詞・形容動詞・副詞・連体詞が多い（ありさま描写的）か、あるいは動作が多い（動き描写的）かを示す指標にMVRがある。文章を読んだ感覚だけで文章の特徴を捉えるのではなく、数値化という客観的な物差しで行おうとしたものである。数値が高ければ様態を表す語が多く、低ければ動作を表す語が多い。「MVR」は、Mのグループ「形容詞・形容動詞・副詞・連体詞」の比率をVのグループ「動詞」の比率で割った値に100をかけたものである。

$$\text{MVR} = \frac{\text{形・形動・副・連体詞の比率}}{\text{動詞の比率}} \times 100$$

　例えば、名詞（N）=48％、動詞（V）=35％、形容詞・形容動詞・副詞・連体詞（あり様）（M）=15％、接続詞・感動詞（I）=2％であるとすると、MVR＝15÷

$35 \times 100 \fallingdotseq 43$ となる。

このような手順で求めた値として、

テクストA　MVR=83

テクストB　MVR=44

であり、テクストAはMVRは大きい値となっており、ありさま描写的文章であると考えられる。

MVRの他に、樺島・寿岳では、以下のような指標も求めている。

①名詞の比率 (%)

②MVR

③指示詞の比率 (%)

④字音語の比率 (%)

⑤文の長さ (自立語数)

⑥引用文の比率 (%)

⑦接続詞を持つ文の比率 (%)

⑧現在止めの文の比率 (%)

⑨表情語 (ジット、ゴタゴタ、ニヤニヤなどの擬声語・擬態語) の比率 (‰)

⑩色彩語の比率 (‰)

以上のような数値化された指標は、作品間の比較を容易にする。さらに、同じ指標で異なる作品の特徴を描くことができる。

　樺島・寿岳では各作品の80文程度が調査されていたが、電子化コーパスの拡充に伴い、大量の文章をコンピューターで分析できる可能性が拓けた。テクスト言語学、コーパス言語学の隆盛など、文学テクストを対象とした言語研究の機運が高まった。近年では品詞比率を求める際に、コンピューターで形態素解析を施すことも行われている。例えば「Web茶まめ[14]」(堤智昭・小木曽智信 2023) は現代語や古文の辞書に対応しており、ウェブ上で視覚的に簡便に形態素解析を行うことができる。 ⬤ファイル

4. データの電子化と文化の定量化

3節で見た文体の指標は、数値として多くの作品を比較可能にするものである。

文体論は、具体的な言語を指標として用いてテクストの特性を記述するものである。指標には、形容詞の数や文字数のような数値で捉えられるものもあれば、数値では捉えられない性質のものもある。例えば、口語性の度合いとして「してしまう」に対する「しちゃう」、「やはり」に対する「やっぱり」が同じ間隔に位置する口語性として存在しているわけではない。

データには、量的（定量化できる）性質のデータと、質的（定性的）データとがある。文体論のデータ、言語学のデータは全て量的データではなく、質的データの場合もある。しかし、どちらのデータであっても、データを取り出した観点や基準が明瞭になるような手続きを踏む必要がある。村上（2002）では、「文化を計る」と称して、これまではどちらかというと直感的、主観的であった文化研究に、計量的手法を導入し、その上で種々の文化現象を分析し、理解を深める試みがなされている。例えば、絵画の解釈について、絵画から得られるのはアナログ情報だが、それをデジタル化（例：浮世絵の美人画における顔のパーツの位置情報を距離や角度として表示する）している。分類名義尺度化しようとすると、そこには測定者の主観が入る余地があるからである。そこで採られる姿勢は、データをデジタル情報に置き換えることにより、考察対象を分析者の解釈からできるだけ分離して考えるというものである。

5. コーパスと文体論

言語学が文体論と関わるのは、言語という明示的指標を用いて、使用の背後にある規則性（ないしは、規則性を前提とする逸脱）を研究することである。文体論の中には、ことばのパターンを抽出し、それを数値という比較可能な表示手段を用いた分析を目指すものもある。この点で、コーパスと文体論は親和性が高い研究領域である。

これまで扱っていた紙の本や絵画などを電子データとして保存すること

で、多くの人による共有、加工の道が拓けた。紙の本を電子化し、大量の電子データとして検索・加工を容易にした電子化コーパスはその一貫である。「コーパス」という語はラテン語の corpus「体」(発音はコルプス) に発する。この語は文字通りの意味から転じて、比較的早くから『ローマ法大全』(Corpus Iuris Civilis) のように「資料の総体」を意味して使われ、この用法でヨーロッパ各国語に取り入れられた (後藤斉 2003)。現在では、主にコンピューターによる処理を前提とした機械可読の電子化テクストの集合を指している。

　紙媒体が持っていた装丁やレイアウトなど、失われる情報はあるが、文字列へのコンピューター処理が可能になったことによる利便性は大きい。後藤で述べられるように、コーパス利用の利点は、テクストの範囲の大規模性とその範囲内での網羅性にある。人間はどうしても長時間のうちには注意が散漫になるので、大量のテクストについての悉皆調査は苦手である。しかしコンピューターは疲れを知らないため、テクストの量をいくらでも拡大できるし、何度も繰り返して調査することができる。

　文体論への恩恵は、機械可読となったことにより、コンピューターを用いた大規模なデータ分析の実現が可能となったことである。大規模データの活用により、信頼性のあるデータの定量化が可能になった。そこでは形態素解析や語彙の頻度などのテクストの特徴量を用いて、大量の電子データが分析される。コーパスに格納されるデータを研究者が実際に「読まない」ことは多々ある。石川慎一郎 (2014) が述べるように、個別の作品や作家ではなく、例えば19世紀の英国小説全体の文体を論じようとするような場合、あるいはまた、ネット上の膨大な量のブログやX (旧Twitter) からある種の言語的パタンを探ろうとするような場合、close and sensitive reading を全体に適用することは物理的に不可能となる。また、分析者の解釈を介在させないことで、データの性質を前面に出した研究もある。文体分析は、これまで作者の特定 (『源氏物語』宇治十帖の著者問題や「シェークスピア」著とされる作品の著者分析 (村上 2002)) など、数多く適用されてきた。そこでは、むしろ従来的な意味での解釈を含まないことが、データの客観性を高めることにつながっている。

　その一方で、堀正広 (2004) が述べるような「文学作品の言語研究はあくまでも close and sensitive reading がまず先にあり、その読みの経験と文学的な

鑑賞を背景にして、コンピュータを使って得られた資料を分析することが重要」であるという見解もある。

　石川は、両者の立場を紹介しつつ、コーパス言語学の知見を応用したコーパス文体論の可能性を述べている。両者の立場には是非があるが、それぞれの研究の目的に応じて、機械の補助を受け、分析者の観点と機械とが協力し合って、より適用範囲の広い言語分析が目指されている。

6. 情動とデータサイエンス

　本章では、テクストの特徴を言語から捉える文体論を見てきた。文体論は、テクストの特徴を知ることが目的であるが、物語や文学の解釈学的研究では、その魅力の解明が研究目的となる。

　ある作品のテクストとしての特徴が、その作品の魅力であるとは一概にはいえない。この点は、第8章で見る物語論にも当てはまる。物語論は物語や文学を構成する叙法や人称などの要素を考察するものだが、それぞれの特徴は記述できても、なぜその作品に魅力があるのかは主観の問題として不問にされることもある。

　文学は人間の情動を動かし、感性に訴えるものであるが、その根源的魅力と言語がどう関わるかは重要なテーマであろう。情動や感性、魅力、わざの素晴らしさを捉えることは難しい。このような中で、レーガン (Reagan et al. 2016) は物語の感情の起伏を示すドラマカーブを実証的に示した。図36は、J・K・ローリングの人気シリーズ最終作『ハリー・ポッターと死の秘宝』で、読者が経験する感情の起伏を表している。物語は感情の起伏の山と谷を繰り返し進行する (図36)。

　映画やドラマでは、視聴者は登場人物の境遇の変化を辿ることで、物語に共感できるという。困難と好ましい状況を入り混ぜて描き、全体で大きな展開を描いている。レーガンらによる研究の特徴は、物語の感情の起伏を、用いられている語が持つ評定を数値化し、物語の進行に沿って実証的に示したことである。例えば幸福度に関して「死」「レイプ」「癌」などのネガティブな単語は幸福度が低く、「愛」「笑い」「幸せ」などの語は高い値が付けられ

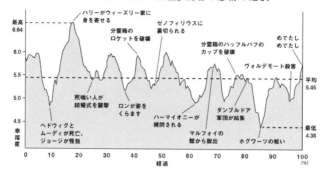

図36 『ハリー・ポッターと死の秘宝』読者の感情の起伏
（レーガンらReagan 2016、日本語版作図：courrier JAPON https://courrier.jp/news/archives/71790/）

る。この手続きで、「プロジェクト・グーテンベルク」（著作権が切れた作品をインターネット上で公開している、日本で言う青空文庫のような試み）から、1,327点の文芸作品を分析し、各作品のダウンロード回数と感情の起伏パターンを調べている。

　ナラティブへの関心の高まりは、脳科学の分野からもうかがえる。fMRIを使って脳の活動状態を計測することで、人間にとって物語が特別な刺激であることを実証的に示す研究が行われている。20世紀後半以降、脳の研究は急速に進展してきた。当初は生物脳としての脳研究であったが、2000年以降、ヒトを対象とした社会脳（social brain）の研究も盛んに行われ、文系諸科学の分野との融合が行われている。苧阪直行（2014）編著『小説を愉しむ脳—神経文学という新たな領域—』では、「鋭い理系のクワをもって豊かな文系（人文知）の畑を耕すことが社会脳研究という先端科学を育てる手だて」であると述べている。神経文学、神経映画学など、神経＋人文系の学問という領域名だが、例えば神経文学とは、私たちの心が文学に共感できる脳の仕組みを考察することであるとする。物語内のことばに触発された感覚や記憶の世界を神経科学的に裏付ける研究が行われている。

　高橋英彦（2014）は社会的情動と関連する文章を読んだときの脳内表現を示している（図37）。

　社会的情動には、自尊心や誇りなどのポジティブな自己意識情動と罪悪感や羞恥心などのモラル情動などがあるが、これらの情動を適切に認知するに

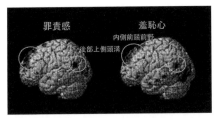

図37 文章刺激による罪責感と羞恥心の脳活動 (高橋 2014: 99)

は"心の理論"の能力、つまり、相手の立場に立って気持ちを理解する能力が不可欠である。心の理論 (Theory of Mind) は、ヒトや類人猿などが、他者の心の状態、目的、意図、知識などを推測する心の機能のことである。架空の文章であっても、他者の心を推察、理解する能力が使われており、物語や映画の登場人物の気持ちを理解することが共感性を育むと考えられる。

　以上、本章では物語作品のテクストの特徴を実証的に捉える文体論を見てきた。

　歴史、文化、芸術といった文化遺産のデジタルアーカイブが進み、微細に定量化することが可能になっている。大規模データの構築、計量的手法などのデータを扱う手法が突破口となって、作品の魅力を再体験できる可能性が拓けた。多くの指標がデジタル化できるようになった現在、その指標が何を表すものなのかを改めて問う必要がある。テクスト、文学もその一例である。テクストの魅力、価値と連動する指標を見極める必要がある。

┃コラム┃ NDC分類とCコード──本の話

　図書館の本の並べ方は一定の分類法に基づいて並べられている。日本十進分類 (NDC)、国立国会図書館図書分類 (NDLC) がよく知られる。国立国会図書館図書分類はアルファベットで整理され、Kが「芸術・言語・文学」である。

　公共図書館や学校図書館で広く採用されているのは日本十進分類表 (NDC) である。この番号の仕組みは、総ての本を10のカテゴリーに分け、それを

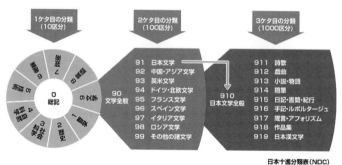

図38 日本十進分類表（山内図書館）[15]

さらに10のカテゴリーに分け、さらに10に分ける。物語は「文学」に入っていることが多い。例えば、文学は9だが、それを「文学／日本文学／中国／英米／ドイツ／フランス／スペイン／イタリア／ロシア・ソヴィエト／その他の諸文学」の10に分ける。それをさらに「詩歌／戯曲／小説・物語」等に10に分ける。例えば日本の小説・物語は913である。

　一方、販売対象や書籍の形態を表すものに「Cコード」がある。Cコードは4桁で構成される。

(57)　Cコードの構成　　C■＋■＋■■
　　「販売対象 (0~9)」＋「書籍形態 (0~9)」＋「内容・2桁 (00~98)」

表3 Cコード1桁目（販売対象）

コード	内容
0	一般
1	教養
2	実用
3	専門
4	検定教科書・その他
5	婦人
6	学参I（小中）
7	学参II（高校）
8	児童
9	雑誌扱い

表4 Cコード2桁目（形態）

コード	内容
0	単行本
1	文庫
2	新書
3	全集・双書
4	ムック・その他
5	事・辞典
6	図鑑
7	絵本
8	磁性媒体など
9	コミック

表5 下2桁（内容）（90番台の例）

コード	内容
90	文学総記
91	日本文学総記
92	日本文学詩歌
93	日本文学、小説・物語
94	－
95	日本文学、評論、随筆、その他
96	－
97	外国文学小説
98	外国文学、その他
99	－

最後の2桁は、内容で、90番台が文学となっている。

書名とCコードを表6に示す。

表6 Cコードの例

書名	Cコード
『オズの魔法使い』	8097
『ハリーポッターと賢者の石』	0097
『女のいない男たち』	0193
『生きるとは、自分の物語を作ること』	0195
『涼宮ハルヒの憂鬱』	0193
『涼宮ハルヒの憂鬱』コミック	0979
『いちばんわかりやすい北欧神話』	0222
『グリム童話集』	0198
『1812初版グリム童話』	0197

表のうち、下2桁が90番台以外のものでいうと、22：外国歴史、79：コミックス・劇画である。神話は宗教、歴史、小説、文学と多様に位置づけられている。Cコードは本の形態や販売対象がわかる点で便利だが、分類は出版社がつけており、「書店のこの棚に置いて欲しい」という要望が込められているものもある。販売対象や書籍形態がわかることで、文章の難易度、専門性について予測が立てやすくなる。

(58) CコードとNDC分類の例

『オズの魔法使い』福音館書店版 (1990年)

Cコード：8097 (児童 (8)、単行本 (0)、外国文学小説 (97))

日本十進分類表 (NDC)：933 (英米文学 (930番台)、小説・物語 (3))

ジャンルとことばとの対応は、国立国語研究所等による大規模電子化コーパス (言語の資料体のこと) 整備の進展に伴い、コーパスに収納される文書に付与する情報の吟味と検討が進められている。筆者が数冊比較したところ、NDC分類の番号の付け方は各図書館で異なるものもあった。しかし、近年では多くの図書館で機械可読目録 (Machine Readable Cataloging：略してMARC (マーク)) を導入しており (高橋安澄 2017)、こうした齟齬は減少している。

しかし文体についてCコードで全て予測できるわけではない。例えば、谷川流『涼宮ハルヒの憂鬱』と大江健三郎『死者の奢り・飼育』はともに0193であるが、読みやすさは異なる。

第II部
物語の技巧と文化

第8章

物語の技巧

　物語では作者の表現技巧がさまざまに駆使されている。物語における表現技巧は、口承による物語から文字として書かれ、文学作品として確立したことで、いっそう顕著なものとなった。

　本章では、口承による物語と近代の物語を対比させ、文学の技巧として人称、叙法、遠近法について紹介する。

1.　表現技巧を扱う物語論

　物語は、少なくとも次の3つの様相を持っている。

（59）　①構造：話の筋立て、物語内容
　　　　②表現：実際のことばの選択、描写
　　　　③受容：受け手がどう解釈するか

　①構造とは、表現される話の内容やあらすじである。

　②表現とは、物語が実際に語られる、あるいは書かれるときの、ことばの選択を指す。例えば、能動文／受け身文の選択、文体の堅さ、作者の表現技巧、語り方が該当する。物語論でよく引用されるジュネット (Genette1972: 17) は物語言説という言い方をしている。語り方や表現の選択がなされる「物語のテクストそれ自体」を物語言説 (récit (レシ)) と呼び、「物語内容」(histoire (イストワール)) とは区別される。この言い方は馴染みのない日本語であるため、

本書ではこの言葉を用いないようにするが、背景理論との関連のため記した（ことばに関する用語、ラング（langue）とパロール（parole）をはじめ、フランス語から日本語への訳し分けは難しいところである）。本章では、②の表現技巧を扱う。

　③受容とは、どのように受け手に理解され、享受されるのかを指す。同じ物語を読んでも、受け手によって解釈が異なることがある。言語一般にいえることであるが、説明文も受け手によって理解のされ方は異なる。例えば、同じ文章（例：家の間取り）を読んでも泥棒視点と不動産屋視点では受け取り方は異なる（Pichert & Anderson 1977）。伝達される意味の多様性は語用論で分析が行われている。

　この他に、物語が伝えられる環境や媒体（メディア）の影響がある。同じ物語でも、朗読、文庫、ムック本、ドラマ等の媒体によって物語の構造、表現の選択、受容は影響を受ける。例えば『オズの魔法使い』（L.F.バウム）は1900年に出版され、その後、絵本、アニメ、映画、ミュージカルなど多くの媒体で再現されている。媒体によって対象となる読者（視聴者）、物語の長さ、台詞、描写、構成は変わる。

　物語の技巧、手法について分析する分野を物語論、あるいは文芸理論という。物語論は古くはアリストテレスの『詩学』、プラトンの『国家』にまで遡り、2000年以上の歴史を持つ。物語論は、個別の作者の意図を推測するのではなく、テクストそのものの形式や手法を具体的に研究対象とする分野であり、多くの作品に適用可能で普遍的なことばの分析理論である。

　多くの技巧が数多くの文学作品からあぶり出され、作家が用いる技巧の多様性は、容易には一覧できなくなっている。言語学者ローマン・ヤコブソンは構造主義による文学の分析（彼は「詩学」と呼んだ）を打ち立てた。それ以降も、ジュネット（Genette 1972）、ハンブルガー（Hamburger 1973）、スタンツェル（Stanzel 1979）らによる人称、語りを中心にした物語の類型論をはじめ、多くの理論がひしめき合っている。こうした研究は相互に関連するものでありながら、それぞれが独自の用語と観察を発展させてきた。物語論における研究が蓄積される一方で、各研究者による焦点の当て方によって多くの用語が乱立し、理論全体を把握することが困難となっている。このことを、ライアン（Ryan 1991: 18）は、「過去20年にわたって形式研究や物語論の存在理由であった

金鉱からもう何も出てこない。視点や物語技法だのといったお約束の話題は、もうすっかりやり尽くされてしまった。」と述べている。

　物語論の研究者にとっては、技巧それ自体が分析対象となっており、上記のような行き詰まり感を顕わにする研究者も存在する。

　第3節では物語論で重要な要素と思われる、叙法、人称、遠近法について述べる。

　作者が表現を凝らし、多くの技巧を用いることが可能となったのは、物語が文字として固定化されたことが大きな要因であろう。そこで次節では、口承による物語と文字による物語の違いを取り上げる。

2.　口承による物語と文字による物語

　昔話、神話などの民衆の間から生まれ、口承によって語り継がれた物語は、語り口の上で大きな類似がある。オルリック (Olrik 1919) は次のような口承の物語の特徴を挙げる。

　　　ゆっくりとした導入部があり、クライマックスの部分を過ぎると次第に安定部分へと進んでいく。通常、同一場面に同時に登場する人物は2人だけである。たとえそれ以上の人物が登場したとしても、同時に行為しているのは2人だけである。
　　　人物設定は単純で、物語に直接影響を及ぼすような性格のみが描かれる。話の中の人物がそれ以外にいかなる生活を持っているかなどについては全く語られない。
　　　筋立ては単純であり複合的であることは決してない。2つあるいはそれ以上の脇筋は高度化した文学であることの確かな証拠である。

　人物の描き方についてマルティネスとシェフェル (Martinez and Scheffel 1999) では、太古以来の部族共同体で成立した北米インディアンの自伝的な物語とヨーロッパの自伝モデルとを対比させている。それによれば、インディアンのテクストは、自分の行為の挿話的な叙述の寄せ集めであり、年代的に秩序

付けられず、筋を心理的、包括的に説明しようという意図を持っていない。一方、ヨーロッパの自伝モデルは、物語られた出来事によって、その人物を説明すること、つまりある際立った個人を、一定の生の産物として叙述することを目指している。年代記的な連続性、頂点と転換点を持つ人物が描かれる。

2.1 「声の文化」と「文字の文化」

このような違いを、オング (Ong 1982) は「声の文化」と「文字の文化」の違いに求める。すなわち口承に始まる文化と、文字を書くことによって成立した文化との対比である。ことばを空間にとどめ、外在化させることにより、思考は組み立て直され、人物の内面が描かれ、物語は構成を持ち、テクストは一定の視点で書かれる。このことはマクルーハン (McLuhan 1962) が『グーテンベルクの銀河系』で、テクストにおける一定の視点が、印刷術と共に現れたという指摘に沿っている。グーテンベルク (Johannes Gutenberg、1398頃 –1468) が金属活字を使った印刷術を発明したことで印刷革命が始まった。これはルネサンス三大発明の1つであったとされる。口承から文字、そして印刷術の発明へと進む中で、物語の登場人物は内面を持ち、視点の描き分けと精細な構造化が起こった。

オングによれば、口頭で語られる物語の創造性は、新しい話の筋を考え出すことにあるのではなく、他ならぬこの時、この聴衆と、ある特別の交流を作り出すことにある。話は、語られるたびごとに、語る「時」を特別な「時」として提示しなくてはならない。なぜなら、声の文化では、物語は、聴衆に受けなければならないし、しばしば熱狂的に受けなければならないからである (Ong 1982: 93)。

これはチェイフ (Chafe 1982, 1985) による話しことばと書きことばの特徴と同様であり、話すことで重視されるのは聞き手との共感や感情である。

書くことがもたらしたコンテクストからの隔たりにより、読者は聞き手に関するさまざまな虚構的手法が必要になった。口承の語り手の本来の声、肉声は、それが書き手の沈黙の声となった時、さまざまな新しい形式を身に纏うことになった。

印刷が機械的にも心理的にもことばを空間に釘付けにし、そのことによって書くことがなしえた以上に、テクストが閉じ込められているという感覚を打ち立てた。そうして生み出された小説は、結局、挿話の寄せ集めという構造から決定的に離れたのである (Ong 1982: 303)。口承の語り手の主人公は、典型的にはその外面的な活躍によって特徴づけられるが、活字時代の主人公は内面意識、すなわち複雑な性格構造と複雑な動機付けの持ち主である。このような発展は、一次的な声の文化においては考えられず、書くことによって支配された世界の中で現れる。書くことは、内省への入念な分析へと向かう傾向を作り出したからである (Ong 1982: 310)。

口承による民話や昔話は、起こった出来事をわりあい単純に配列して話ができあがっていることが多く、登場人物の内面描写は限定される。しかし文字で書かれた文学では、出来事の配列だけではなく、提示の仕方、語り手の存在など、多くの手法を駆使しながら登場人物の内面が描かれる。文学は作者を持つが、口承による民話や昔話の多くは作者を持たない。

口承の物語が何度も語られるのは、新たな手法が試されるためではなく、繰り返し同じ筋を忠実にたどるためである。これに対し、書かれた物語では、登場人物の内面を描き分け、提示方法の革新が試みられていく。

口承から文字の世界へ、さらには近代、現代への移行により、物語は技巧の革新を試みながら芸術性の幅を広げていった。そこで、物語の内容と、物語の提示や再現の仕方を区別する。

2.2 作中世界と語りの重層性

口承文芸と文字による文学作品との性格を考えさせるのは、日本が世界に誇る古典の名作、『源氏物語』の文章表現である。

『源氏物語』は、その文体の特徴から、正宗白鳥や和辻哲郎によって源氏物語悪文説が取り沙汰されてきた。和辻哲郎 (1922) は『源氏物語』の文章の晦渋の原因の重大な1つとして「描写の視点の混乱」を指摘し、この混乱のために不快な抵抗を感ぜずには読むことができない、とある。秋山虔 (1995) は、これらの指摘について、語り手が語り、あるいは読み聞かせ、それを聞き手が耳に聞くという享受形態において成り立つ物語の本来的な在り様であ

るとしている。これは金田一春彦による語りとしての源氏物語の見方（第3章参照）と一致する。

玉上琢彌（1966）による「物語音譜論」では、『源氏物語』の文章を、語り手が語り、あるいは読み聞かせ、それを聞き手が耳に聞くという享受形態において成り立つ物語であるとしている。秋山が述べるように、変幻自在に時間・空間を移動するその文体は、視点の混乱と裁断するのではなく、すばやい視点の変換や重層の妙として受容することが適切であろう。事柄やその状況を内からと外からと多面的に、一挙に立体的に彫り進む文体の達成として評価すべきものである。

「描かれる作中世界」を「古御達が語り伝えた」という体裁を筆記した現存物語本文をもとに、女房が高貴なお姫様に読み聞かせたという。

図39
「源氏物語」における作中世界の
重層性（玉上 1966: 238）

3. 物語論

1つの物語内容は、様々な視点によって語られうる。物語は、直接再現するようにも、あるいは語り手をとおして構成されたようにも語られうる。

伝達遂行者の種類として「語り手」と「映し手」との区別は、古くからプラトンの『国家』に見られ、物語と演劇が対比されている。語りの媒介性の形成において物語と演劇は対比される。

【純粋の物語（ディエゲーシス／diegesis）】
- 語りを媒介として物語が進行し、作者が「作者自身の名において」物語る。

【模倣による物語（ミメーシス／mīmēsis）】
- 語り手の不在もしくは最小限の存在の場合で、模倣・対話などによる演劇的な再現・物事を直接的に提示する方法。

●読者は媒介者なしに、その記述を報告する主体の体験として理解する。

　スタンツェルは3つの構成要素「叙法、人称、遠近法」と二項対立のシステムによって、文学の技巧の全体像が捉えられるとして、円形図式に表した（図40）。

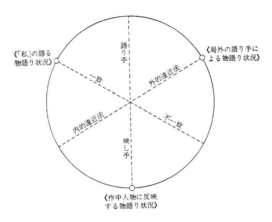

図40　スタンツェル（Stanzel 1979: 40）による類型円図表

　この円図は、大きく3点が読み取れる。
1.　叙法：語り手　対　映し手。《作中人物に反映する物語り状況》では登場人物は映し手として機能する。
2.　人称：語り手と作中人物の存在領域の同一性　対　非同一性。《「私」の語る物語状況》では、1人称（私）が語る場合には、物語世界と「私」の存在領域は一致する（1人称の語り手＝作中人物）。
3.　遠近法：外的遠近法　対　内的遠近法。語り手が物語世界の《局外の語り手》である場合、物語内での出来事は外から眺められることが多い（外的遠近法の強調）。

　人称と叙法は、概念としては区分できるが、お互い関連している。例えば、1人称が語る物語で語りと物語世界の存在領域が一致している場合、「人称」によって語り「叙法」は影響を受けることになる。3人称小説では局外の語り手による語りの場合と、作中人物に反映する物語状況の場合があ

る。

　スタンツェルの図は決してわかりやすいものではないが、この3要素は物語を読み解くための、重要な要素である。これらの要素は互いに関わっており、あえて交差し、隣接性に訴えているともいえる。

3.1　叙法

　叙法とは、物語の内容を再現し伝達する様態のことである。伝達遂行者の種類 (語り手／映し手) によって区別される。

　映し手は、考えたり、感じたり、知覚したりするが、語り手のように読者に向かって語りかけない作中人物である。ナレーターのいないドラマのように、登場人物のセリフや行動を描写して話が進行するものである。読者は、映し手であるその作中人物の眼をとおして物語の他の人物たちを眺める。語り手によって「物語られる」わけではないので、描写の直接性の印象が生まれる。描写の直接性の錯覚が語りの媒介性を覆い隠している。語りの媒介性の形成において、演劇と物語は区別される。

（60）　叙法の対比
　　語り手‥‥‥‥‥‥‥‥‥‥‥‥‥‥‥‥‥‥‥‥‥‥‥‥‥‥‥‥‥ 映し手
　　媒介性、語り ‥‥‥‥‥‥‥ 作中人物の意識の中に虚構の現実を写し出す描出
　　人格化された語り手 ‥‥‥‥‥ 虚構の世界を直接知覚しているような錯覚
　　報告調‥‥‥‥‥‥‥‥‥‥‥‥‥‥‥‥‥‥‥‥‥‥‥‥‥‥‥ 情景描写

　語り手による物語は、独立した人格として読者の前に姿を表す語り手 (報告調) による物語である。一方、映し手による物語は、語られる事柄の背後に身を潜め、読者には事実上その姿が見えない情景描写による物語である。映し手による物語でも、実際には語り手 (作者) が存在するわけであるが、それが前面化せずに、読者は直接に物語を見聞きしているような効果を持つ。

　語り手による物語では、語り手が神の視点のように、全ての登場人物の心のうちを知っているものもあれば、登場人物の内面が不可知であり、観察された行為として描く場合がある。これをジュネット (Genette 1972) は、焦点化

という概念で捉えている。

テレビドラマ「家政婦は見た！」では、市原悦子演じる石崎秋子が上流階級の家庭に家政婦として派遣される。ドラマの前半で、家庭内の裏の姿が、家政婦秋子によって覗き見られる。しかし、家庭内の事情や秘密は、その時点では秋子にはわからない。その秘密をドラマの中で探っていくというストーリーである。このときの秋子の視点は「限定知の視点」と呼ばれる。体験者としての秋子は、派遣先の家庭の様子を仲間の家政婦に語るが、秋子の視点は「全知の視点」ではない。徐々に秘密が暴かれることによって、視聴者への情報量の調節がなされる。このように物語の伝え方では、語り手の介入の度合を調整できる。

図41
語り手（家政婦）の情報量＜他の作中人物の情報量（ジュネットでいう外的焦点化）

次は、家政婦「信子」（原作ではこの名前となっている）が勤務先の家庭で自分の悪口を立ち聞きしてしまう場面である。

（61）　その日は、十一時ごろやっと床に就いたのだが、咽喉が渇いたので、こっそり炊事場に水を飲みに行った。そのとき、襖越しに夫婦の話し声がぼそぼそと聞こえている。その中に「今度来た家政婦」ということばがあったので、信子はぴんと聞き耳を立てた。

（松本清張 1963「熱い空気」（「家政婦は見た！」第1回の原作となった作品））

夫婦が何を言っているか最初はわからなかった信子が、聞き耳を立てて盗み聞きする場面である。信子の知覚に視点を限定することによって、信子からその家庭が描かれる構図となっている。

3.2　人称

人称には、典型的には1人称による記述と3人称による記述がある。

多くの伝承による物語は「昔々あるところに、おじいさんとおばあさん

が…」のように3人称が登場し、いわゆる「天の声」で物語は描かれる。一方、1人称「わたし」「ぼく」が体験し、感じる世界が、1人称によって語られるものがある。2017年に出版された『桃太郎が語る桃太郎 (1人称童話)』(文：クゲユウジ、絵：岡村優太) は、「ぼくは鬼がこわいと思いました。」というように1人称の「ぼく」が物語を語るスタイルで作られている。同じ物語でも、語る視点を変えることによって、出来事の連鎖を外から淡々と描く物語から、恐怖や喜びを感じる本人の内面を描く物語へと変貌する。

語り手が登場人物を「私」として、1人称代名詞で指示する場合、物語世界と語り手の世界は同一領域にいることになる。次はマルティネスとシェフェル (Martinez and Scheffel 1999) の整理である。

語り手の事件に対する位置 (語り手はどの程度事件に参与しているか)
- 異質物語世界的 (語り手は物語られた世界の人間ではなく、参与しない語り手、3人称小説)
- 等質物語世界的 (語り手は物語られた世界の人間、1人称小説)

「異質物語世界的」とは、語り手はいかなる登場人物も「私」と指示することがなく、語り手は登場人物として登場しない。いわゆる「3人称小説」である。

「等質物語世界的」とは、語り手が登場人物を「私」と1人称代名詞で指示することが可能で、登場人物が語り手となっている。いわゆる「1人称小説」である。語り手が主人公である場合、特に「自己物語世界的」と呼ぶ。

例えば夏目漱石の「こころ」の前半では当時「まだ若々しい書生」だった「私」から先生が描かれる。生前の先生の気持ちは「私」から観察され推測されるのみで、本当の先生の気持ちはわからないようになっている。

(62)　先生は何とも答えなかった。しばらくしてから、「私のは本当の墓参りだけなんだから」といって、どこまでも墓参と散歩を切り離そうとする風に見えた。私と行きたくない口実だか何だか、私にはその時の先生が、いかにも子供らしくて変に思われた。　　　　(夏目漱石「こころ」)

この後、後半では「先生」の気持ちが「私」宛の手紙で吐露される。前半ではうかがい知れなかった「先生」の内面が、語りと同一化した1人称の書簡体で開示される。局外の語り手によって説明的に提示されるのとは異なり、「先生」の目から見た世界が描かれる。

作者が人称構造を意図的に改稿した事例がある。マルティネスとシェフェル (Martinez and Scheffel 1999) によれば、フランツ・カフカの長編小説『城』の初稿 (1922) は、「私が到着したのは夜遅くであった」という部分で始まっているということである。第2稿で、カフカは1人称の物語形式を3人称の物語形式に変更し、その結果、冒頭の文は「Kが到着したのは晩遅くであった」（日本語訳は『世界文学大系58 カフカ』筑摩書房 1960 による）となった。

どの人称を選択するかによって、物語られた世界で生じた出来事が異なる体験として、読者に提示される。

3.3 遠近法

スタンツェルでは、物語が語られるときの立脚点、物語の出来事が作中人物によって知覚されるときの立脚点は、遠近法として扱われる。遠近法とは描かれる事象への遠さと近さの表し分けである。

遠近法には、内的遠近法と外的遠近法がある。外的遠近法は、物語の中の現実を知覚、描写する際の立脚点が作中人物の外部もしくは出来事の周辺にある場合で、対象は外側から一定の距離を置いて眺められる。一方、内的遠近法は物語の中の現実を知覚、描写する際の立脚点が作中人物の内部に置かれ、内側から対象を直接的に観察する手法である。

遠近法

内的遠近法	外的遠近法
語られる事柄が出来事の内部	出来事の外部
内視の位置	報告の位置

（63）の芥川龍之介の「蜘蛛の糸」では、蜘蛛の糸を上って地獄から抜け出そうとする「犍陀多」から見えた情景として、「血の池」「針の山」が描か

れる。この部分は「犍陀多」の体験として彼の知覚を立脚点として描いている。

(63)　　すると、一生懸命にのぼった甲斐があって、さっきまで自分がいた血
　　　の池は、今ではもう暗の底にいつの間にかかくれて居ります。それか
　　　らあのぼんやり光っている恐しい針の山も、足の下になってしまいま
　　　した。この分でのぼって行けば、地獄からぬけ出すのも、存外わけが
　　　ないかも知れません。犍陀多は両手を蜘蛛の糸にからみながら、ここ
　　　へ来てから何年にも出した事のない声で、「しめた。しめた。」と笑い
　　　ました。
　　　　　　　　　　　　　　　　　　　　　　　（芥川龍之介「蜘蛛の糸」）

　この作品は、三部構成となっており、一は極楽での御釈迦様から見た世
界、二は地獄の犍陀多、三は極楽での御釈迦様から見た様子が描かれる。
遠く離れて分離された極楽と地獄はマルティネスとシェフェル（Martinez and
Scheffel 1999）がいう、ダンテの『神曲』（1307–1321頃と推定）のように地形的にも
最も遠く隔たった二点間の軸として、意味論的に善と悪の対立によって構造
化される。この両者で描かれる立脚点は御釈迦様から犍陀多へ、そして再び
御釈迦様へと人物と空間が大きく移動する。

表7　蜘蛛の糸における場面と立脚点

	一	二	三
場面	極楽	地獄	極楽
立脚点	御釈迦様	犍陀多	御釈迦様

　以上、物語の技法として、叙法、人称、遠近法を見てきた。
　しかし遠近法については、問題が残る。遠近法とは、これまで述べたよう
に、物語の中の現実を知覚し、描写する際の視点がどこにあるかという概念
である。スタンツェル（Stanzel 1979: 13）は、英語の術語である「視点」に相当
する的確な対応語がドイツ語にないので、立脚点、注視点、遠近法、物語視
角といった用語がまちまちに使われている、と述べている。

遠近法については、従来の視点、立脚点等との区分が必要であり、より詳細な検討を要する。この問題については、第12章でマンガをもとに再度取り上げる。

コラム 『グリム童話』に見る伝承と作品

伝承から作品としてまとめるまでに改編された例として、有名な『グリム童話集』（正しくは『子どもと家庭の童話』）を挙げることができる。

兄のヤーコプ（Jacob Ludwig Karl Grimm）と弟のヴィルヘルム（Wilhelm Karl Grimm）は、19世紀にドイツで活躍した言語学者・文学者の兄弟であり、比較言語学の「グリムの法則」でも知られている。

彼らが収集、編纂したドイツのメルヒェン（昔話）集は、1812年に初版が出された。伝承を集めたエーレンブルグ初稿といわれる当初の原稿と、現在流通している子供向けの童話とは異なるものであった。

天沼春樹（1992: 46）によれば当初は、祖国であるドイツ全土の口伝えの伝説を集めようとした民間文芸収集という目的があったとされ、レレケ（Rölleke 1985）による『グリム兄弟のメルヒェン』での引用を紹介している。

(64)　われわれは、祖国であるドイツ全土の口伝えの伝説を集めようと考えている。（中略）今、われわれは、それらすべてのものを、きわめて忠実に、一字一句違えずに記録したいと願っている。あらゆる種類の、一見無価値なことは、見付けるのも簡単だが、消えるのはもっと簡単なのである。人は一見無価値なものをそのまま記録するよりも、人工的な再話をとろうとするが、われわれは逆である。

（小澤俊夫訳、岩波書店）

当初は、実証的・学問的収集を望んでいたグリム兄弟だったが、出版にあたり、中産階級の道徳律に反するような性的な箇所は取り除かれ、キリスト教的な要素を付け加え、彼らの時代に支配的だった父権主義的な規範にした

がって男女の役割分担を強調し、〈家庭的〉雰囲気がつくられた。初稿の話に含まれた多くの暗黒の世界は改変し、おとぎ話へと変わっていった。

　中野隆正 (1998: 101) は、グリム童話も民俗学上の学問的な資料であろうとするとともに、文学として鑑賞される作品であろうとする、2つの要請の間を揺れ動いてきたことが、その原型と現行の形との比較によってよくうかがわれる、と述べている。そして、プロットにおける行動の動機づけを強調し、心理的なモティーフを盛り込み、多くの人が理解できる物語になった。

第9章

物語の共通性

本章では、さまざまな物語に見られる共通性とその理由を扱う。よく用いられる分類にATU分類、AT分類がある。これらは国際的な昔話の話型カタログであり、アールネ (Aarne)、トンプソン (Thompson)、ウター (Uther) という研究者の人名の頭文字からきている。物語に一定のパターンが存在するという考えは、ロシアの民話研究からはじまり、その影響を受けて世界の多くの物語における共通性と類似性が指摘されている。

1. 物語の類似性

日本の、あるいは世界の物語を見ていると、類似した話に行き当たることが多い。何千キロもはるか遠く離れた地域の物語にも、日本の昔話と類似する点を見つけることができる。ここでは物語の類似性の例として、まず「川から流れてきた英雄」の例を紹介し、次に「禁止が設定されるが、禁止を破ってしまう」例を紹介する。

日本の「桃太郎」は川に流されてきたのを老婆に拾われた。これに類似した話は、遠く離れた古代オリエントのサルゴン伝説に遡ることができる。

サルゴンはアッカド帝国を建国し、メソポタミア最初の軍事的、商業的帝国を創始した。古代の人々にとっては、さぞ衝撃的なことだったろう。王の出生と生涯について、多くのサルゴン伝説を生むこととなった。キャンベル (Campbell 1949) は次のようにサルゴン伝説を記している。

サルゴン王は、身分の低い母親から生まれた。父親については何も伝えら

れていない。サルゴンは幼い頃にパピルスの籠に入れて捨てられ、ユーフラテス川を流されているとき、アッキという農夫に助けられた。アッキの手で庭師として育てられたサルゴンは、愛と豊穣の女神イシュタルの寵愛を受け、やがて王になり、生き神としてして広く知られるようになった（Campbell 1949: 下193）。

　旧約聖書に出てくる預言者モーゼは、葦で編んだ小さな籠に入れられ、ナイル川の岸辺の葦の茂みに置かれた。それを育ての親に発見され、育てられるのである。水から拾い上げられ、育ての親に育てられるのは、ギリシャ神話のエディプス（ギリシャ語ではオイディプス）王も同様である。エディプスは小さな籠に入れられ、海の上に捨てられ、王妃ペリベアが洗濯をしているときに水の中から拾い上げられ、育ての親に育てられる。実の父を殺し、実の母と親子婚を行ったため、名は「エディプスコンプレックス」の語源になっている。

図42　現在のナイル川。モーゼはナイル川で籠の中から拾われた。「ナイルの水を飲んだ者は再びナイルに戻る。」とは、エジプトの言い伝え。

　桃太郎もまた、川に流され、育ての親に拾い上げられる英雄である。大塚英志は山形でのフィールドワークで、桃ではなく、漆の小箱に入れられて桃太郎が流れてきた話を述べている（大塚2013: 90）。世界中に共通する物語は多い。

　次に、物語の類似性の例として「禁止されたことを破る」というものを取り上げたい。

　オルフェウス（Orpheus）は、ギリシャ神話に登場する竪琴の名手である。彼の弾く琴は多くの人々を魅了したといわれる。オルフェウスはエウリュディケと恋に落ちるが、エウリュディケは死んで冥界に行ってしまう。死んだ妻を連れ戻そうと冥界に下ったが、冥界の王ハデスとの約束に反し、後ろを振り返って妻を見てしまう。すると、エウリュディケは、泣きながら永遠に消えてしまった。その死後、竪琴は天に昇って星座となったという。図43は、冥界から彼女を連れて帰ろうとする場面である。

図43 冥界からエウリュディケを連れて帰ろうとするオルフェウス　(Edward Poynter 1862)

　(65) は、北米インディアン、ズーニ族による、「小さな女の子とこおろ
ぎ」という話である。

(65)　一人の少女が唄っているこおろぎを見つけ、それを家に連れて行きた
　　　いと思う。こおろぎは女の子と一緒に行くが、少女に向かって、「私
　　　にさわったり、私を笑わせようとしてはいけない。もしちょっとでも
　　　さわったりしたら、私はとても怪我をし易いので死んでしまうかもし
　　　れないと注意する。しかし、女の子はこおろぎと遊びたいと思い、こ
　　　おろぎをくすぐろうとする。こおろぎは腹が裂けて死んでしまう。

(Dundes 1964、邦訳 140)

　この話にも、少女はコオロギに触ってはいけないという「禁止」が含まれ
ている。それを少女は破ってしまい、コオロギは死んでしまう。
　ダンダス (Dundes 1964) は、以下のような「欠乏→欠乏の解消→禁止→違反
→結果」というモティーフ素の組み合わせを示し、表8のような、ギリシャ
神話「オルフェウス」との構造上の類似性を示している。

　ダンダスはこの2つの話には、美的な観点からすると、大きな違いがある
がモティーフ素は同一であると述べている。
　モティーフとは、トンプソン (Thompson 1946) によれば、伝承の中に生き残

表8　モティーフ素は共通する

モティーフ素	オルフェウス	小さな女の子とこおろぎ
欠乏	男が妻を死者の国から家へ連れて帰りたいと思う。	少女が野原からこおろぎを家に連れて帰りたいと思う。
欠乏の解消	男はそのようにする。	少女はそのようにする。
禁止	男は妻をふり返ってはならぬと警告される。	少女はこおろぎに触ってはならぬと警告される。
違反	男はふり返ってしまう。	少女はこおろぎに触ってしまう。
結果	男の妻は死ぬ。	こおろぎは死ぬ。
脱出の試み	—	—

(Dundes1964: 140–141)

る力を持った話の最小の要素とされる。残存する力を持つためには、何か異常な、人の注意を引くものを持っている。モティーフということばは様々に用いられており、物語の中の行為者(神々、不思議な動物、魔法使いなど)、行為の背景にあるもの(呪物、変わった慣習など)、あるいは単一の出来事を指す場合もある。1つの話が単一のモティーフから成っている場合もあれば、いくつかのモティーフが組み合わされてできている場合もある。モティーフとして「振り返ってはならぬ」、「触ってはならぬ」は「禁止」という同一のモティーフ素として捉えることができる。

　トンプソンは、同じ話型とモティーフが世界中に広く散在しており、これらの類似性の解明が人類文化の本質の理解へと近づくと述べている。

　「禁止」が含まれている物語は多い。「鶴の恩返し」も「機を織るところを見てはいけない」という禁止があるにもかかわらず、夜の機織りを覗いたことにより、鶴は出て行ってしまう。禁止を破るのは「浦島太郎」も同様で、「箱を開けてはいけない」という禁止を破る。

2. 世界の昔話の類型化

　世界各地に伝わる昔話を類型化し、整理する試みがある。AT分類とは、フィンランドのアールネ (Aarne 1910) が作成した昔話の国際的な分類基準を、後にアメリカのトンプソン (Thompson 1961) が改定増補したものである。2人の

名前の頭文字をとって AT 分類と呼ばれており、それを改訂したウター (Uther 2011) による ATU 分類が存在する。物語を類似性と共通性によって分類し、すべての話型に分類番号 (AT番号、ATU番号) を付している。

ATU 分類は長い間世界で広く利用されてきた AT 分類番号を基本的には保持しつつも、増補改訂したものである。動物物語、魔法物語、宗教的物語、真実味のある物語、愚かな鬼の物語、逸話と笑い話、形式譚の 7 つに大別される。(66) のような分類となっている。

(66)　ATU 分類

　　動物物語 (1–299)

　　魔法物語 (300–749)

　　宗教的物語 (750–849)

　　真実味のある物語 (850–999)

　　愚かな鬼 (巨人、悪魔) の物語 (1000–1199)

　　逸話と笑い話 (1200–1999)

　　形式譚 (2000–2399)

世界の物語を AT 分類、ATU 分類番号と共に電子化する試みとして、ミズーリ大学の図書館のサイト[16] (Folk Tales Online) からインターネット上で読むことができる。

例えば、プッチーニのオペラ「トゥーランドット」は、結婚の条件として相手の男性に謎解きを課し、答えられなければその男の命を奪う残忍なトゥーランドット姫の物語である。このオペラの「誰も寝てはならぬ」の件(くだり)は 2006 年トリノオリンピックでフィギュアスケートの荒川静香選手が使用し、金メダルを獲ったことでも有名になった。謎かけ姫物語は、日本では「かぐや姫」が謎かけ姫の代表であろうが、世界中に分布しており、AT 分類、ATU 分類では共に「851」に「求婚者の謎解き」という項目がある。以下のような分類の枠組みとなっている。

850–999：真実味のある話＞850–886：男がプリンセスと結婚する＞851：求婚者の謎解き

3. 日本における話型分類

　日本において、昔話の分類を初めて試みたのは柳田國男 (1948) であった。多くの昔話の起源であり、英雄譚を物語る「完形昔話」と、そこから派生した「派生昔話」に大別される。例えば (67) のような話が挙げられる。

(67)
　完形昔話
　誕生と奇瑞：桃太郎、瓜子姫子
　不思議な成長：田螺長者、蛇息子
　幸福なる婚姻：鶴女房、蛇聟入
　継子話：糠子米子
　動物の援助：猫檀家、花咲爺
　派生昔話
　因縁話：歌い骸骨
　化物語：化物退治
　笑話／鳥獣草木譚／その他 (昔話と伝説の間) 　　　　　　　　　　　(柳田 1948)

　その他に関敬吾 (編)(1950-58)『日本昔話集成』の分類がある。全体として、①動物昔話、②本格昔話、③笑話となっている。
　昔話を採集し電子化する試みが各地で行われている。例えば、秋田県教育庁文化財保護室による秋田の昔話・伝説・世間話口承文芸検索システムでは語り手、採集地域とともに、分類名、話の冒頭文と結末文が掲載されている。

(68)　秋田の昔話・伝説・世間話口承文芸検索システム[17]における桃太郎
　　日本昔話名彙　　　完形昔話　　　誕生と奇譚　　　桃太郎
　　日本昔話大成　　　本格昔話　　　誕生　　　　　　桃の子太郎
　　AT分類　　　　　cf.513A
　　冒頭文　　　　　　お婆さんな、川さ洗濯さ行ったんな。
　　結末文　　　　　　とっぴんかたりのさんしょの実。

4. 物語文法

　物語は設定に違いはあるが、軸となる部分には共通しているところが多くある。まず、物語に大きく共通しているのは、最初に日常の均衡状態が描かれ、その後で変化がおこり、何か取り組むべき事態が生じるというものである。そしてその問題を解決し、最後にまた、均衡状態に戻る。「桃太郎」では「鬼ヶ島の鬼退治」が取り組むべき事態であり、桃太郎は養父母の元での生活を後にし、鬼退治へと向かう。

(69)　「桃太郎」の全体構造
　　均衡状態：日常の日々（夫婦の仕事、おじいさんは山へ柴刈りにおばあさんは川へ洗濯に）
　　変化の開始：おばあさんが桃太郎を見つける
　　解決すべき問題の発覚：鬼ヶ島で鬼が暴れている
　　問題への取り組みと解決：仲間との遭遇、鬼ヶ島での戦い
　　均衡状態：帰還し平和な毎日に戻る

「桃太郎」以外にも、「一寸法師」「金太郎」などは、ヒーローが問題を解決するタイプの物語という点では似ている。
　この一方で、「かぐや姫」「浦島太郎」「鶴の恩返し」「猿蟹合戦」は一人の主人公が戦いに活躍して問題を解決するというのとは異なる。しかし、部分を見ると似ている点があることに気づく。
　例えば「かぐや姫」はおじいさん（竹取の翁）が竹の中にかぐや姫を見つける。「桃太郎」はおばあさんが川で桃を見つけ、その中から生まれてくる。子のない老夫婦に何かの中（竹／桃）から赤ちゃんが授かるという点では共通している。
　子のない老夫婦に子供が授かる話は、「一寸法師」も同様である。子供の

表9　桃太郎とかぐや姫の設定

	何から生まれるか	発見者	被発見者
桃太郎	桃	おばあさん	桃太郎
かぐや姫	竹	おじいさん	かぐや姫

ない老夫婦が子供を恵んでくださるよう神に祈ると、老婆に子供ができた。しかし、産まれた子供は身長が一寸 (3cm) しかなく、何年経っても大きくなることはなかった、というものである。

　登場人物やあらすじを構成要素と見なすと、物語の共通点と相違点が比較可能になる。物語を設定、テーマ、筋立て等に整理することは、多くの分野で見られる。例えば心理学でのソーンダイク (Thorndyke 1977) によれば、文のように物語にも物語文法という内部構造があるとされる。物語文法はもともとラメルハート (Rumelhart 1975) の物語スキーマの考えにその端を発する。

　簡単な筋の流れは、主人公が問題に直面し、主人公のいくつかの試みと問題の解決を含む。物語の出来事間には、因果関係や目的、登場人物の動機が存在する。そのような一般的構造を物語文法と呼ぶ。ソーンダイクは、この物語文法が物語の理解に用いられ、物語の記憶に利用されることを実証した。

　物語は「設定 (setting)」、「テーマ (theme)」、「筋立て (plot)」、「解決 (resolution)」の4つの部分に分けることができるという「簡単な物語のための文法ルール」を提案している。

(70)　物語文法の概略
　　物語→「設定」＋「テーマ」＋「筋立て」＋「解決」
　　設定→登場人物＋時間＋場所
　　テーマ→後続のプロットの焦点となり、主人公が達成すべき目標
　　筋立て→無数のエピソードからなる
　　エピソード→下位目標＋試み＋結果

　例えば昔話「桃太郎」は (71) のような構成要素を持っている。

(71)　桃太郎の設定、テーマ、筋立て
　　設定：時間 (むかしむかし)、場所 (あるところに)、主要登場人物 (おじいさん、おばあ
　　　　さん、桃太郎、仲間 (猿、キジ、犬)、敵 (鬼))
　　テーマ：勧善懲悪 (?)、英雄伝 (?)

筋立て：鬼ヶ島で暴れる鬼の退治、そして帰還

下位のエピソード：子のない老夫婦が子を授かる、鬼ヶ島への旅、仲間との出会い、敵との戦い、報酬、無事に帰還

　民話、神話などの物語は、他の文章に比較して、その構造的特性に多くの共通点と規則性を見いだすことができる。

5. プロップの昔話の考察

　物語に潜在的な構造があると考えるのは、古くはプロップ (Propp 1928) の考察に遡る。プロップはロシアにおける100編ほどの魔法が登場する物語について、共通の構造を抽出しようとした。ロシア語からの翻訳は30年も経った後のことであった。英訳が出ると、神話や物語の構造を抽出する研究が盛んになっていたこともあり、瞬く間に普及する。

　プロップ (Propp 1967: 17) には、次のエピソードが収められている。

　彼が家庭教師をしていた際、昔話集を手に取ったときのことである。「すると私にはたちどころにわかった。すべてのプロットの構成は同じだということが。」

　プロップは個別の文学作品を扱う道ではなくて、あらゆる昔話 (といってもロシアの魔法昔話) に共通する法則の発見に心血を注いだ。

　プロップ (Propp 1967) は「魔法昔話の構造的研究と歴史的研究—レヴィ＝ストロース教授の批判に応える—」という論文で、自身の研究を次のように振り返る。

　昔話の中で一般に登場人物が何を行うのかという観点からその他の昔話も研究し始めた。登場人物の外見とはかかわりなく、その行為によって昔話を研究するという、極めて単純な方法が生まれたのである。登場人物の振る舞い、行為を私は機能と名付けた。結局のところ魔法昔話のすべてのプロットが同一の機能に基づいていること、すべての魔法昔話が構造的に1つのタイプであることが判明した (Propp 1967: 31)。

多くの昔話を集めても、軸となる部分は共通しており、登場人物は物語内の機能として捉えることができる。プロップによれば物語は31の機能の継起と見ることができる。機能の継起順序は、常に同一である (Propp 1967: 36) とされる。あらゆる昔話が31の機能すべてを備えているわけではなく、このうちのいくつかを備えているだけのものもある。しかし、機能の継起順序は保たれるという。31の機能は (72) の通りである。

(72)　プロップの31の機能

0　（導入の状況）

1　家族の1人が家を留守にする（留守）

2　主人公に禁を課す（禁止）

3　禁が破られる（違反）

4　敵対者が探り出そうとする（探り出し）

5　犠牲者に関する情報が敵対者に伝わる（情報漏洩）

6　敵対者は犠牲者またはその持ち物を入手するために、相手をだまそうとする（謀略）

7　犠牲者はだまされて、心ならずも相手に力を貸してしまう（幇助）

8　敵対者が家族のひとりに、害や損失をもたらす（加害）

9　被害か欠如が知らされ、主人公は頼まれるか、命じられて、派遣される（仲介・つなぎの段階）

10　探索者型の主人公が、対抗する行動に出ることを決意する（対抗開始）

11　主人公は家を後にする（出立）

12　主人公は試練をうけ、魔法の手段または助手を授けられる（贈与者の第1の機能）

13　主人公は将来の寄与者の行為に反応（主人公の反応）

14　主人公は呪具あるいは助手を手に入れる（呪具の贈与・獲得）

15　主人公が探し求める対象のある場所へ、連れて行かれる（2つの国の間の空間移動）

16　主人公とその敵対者が直接に闘う（闘い）

17　主人公に標しがつけられる（標しづけ）

18　敵対者が敗北する（勝利）

19　発端の不幸・災いか、発端の欠落が解消される（不幸・欠落の解消）

20　主人公は帰路につく（帰還）

21 主人公が追跡される（追跡）

22 主人公は追跡から救われる（救助）

23 主人公は、気付かれずに家郷か他国に到着する（気付かれざる到着）

24 偽の主人公が、不当な要求をする（不当な要求）

25 主人公に難題が課される（難題）

26 難題を解決する（解決）

27 主人公が発見・認知される（発見・認知）

28 偽の主人公や敵、加害者の正体が露見する（正体露見）

29 主人公に新たな姿形が与えられる（変身）

30 敵対者が罰せられる（処罰）

31 主人公は結婚し、即位する（結婚）

この流れをブルケルト（Burkert 1996）は次のようにまとめる。

省略・単純化すれば、物語は何らかの損傷・欠如・欲望からスタートする。主人公はどこかへ行くように言われ、行くことに同意する。彼は故郷を後にし、ある存在と出会って試練を与えられる。彼はそれに応じ、何らかの贈り物、または呪術的な援助を受ける。必要とされる場所に着き、渡り合わなければならない。敵と出会う。彼は何らかの形で傷つくが、最後には勝利を収める。こうして最初の損傷または欠如が正される。彼は帰路につく。追っ手がかかるが助かる。彼は誰にも知られないまま故郷に戻る。邪悪な詐欺師がいて難題を課してくる。最後に成功し彼は認知される。詐欺師は罰せられ、主人公は結婚して王になる。

プロップの機能では、登場人物は主人公、敵対者、贈与者、魔法による支援者、姫君と父王などとして挙げられる。機能として登場人物を捉えることにより、物語における特定の人物像よりも、物語における話への貢献として人物は捉えられる。登場人物は、それぞれの求めるもの＋行動＋障害＋選択として定義づけられる。各パーツは全体の中の要素として、全体に対する関係の中で考察される。こうすることにより、抽象的に限定された機能によってあらゆる民話を記述できるようになる。

「あらゆる学問の頂は法則性の解明である」（Propp 1967: 28）と述べるプロッ

プは、物語を抽象化し、その骨組みを抜き出した。この一方で、骨組みから物語を作り出すには、それだけでは足りず、読者の感情へ訴えるモティーフ（motif: もともとはラテン語の「動かす」という意味に由来している）が必要である。物語の根底を流れる価値観や世界観を伝えるための細部が描かれなければならない。

6. なぜ世界の物語には共通性があるのか

　物語を相互に比較していくと、類話とされるものは、構成要素がたえず置き換えられたりしているにもかかわらず、話の本質的な筋道は驚くほど安定している。トンプソン (Thompson 1946) が紹介するところによれば、この安定性は文字を知らない語り手の異常な記憶力だけに求めることはできない。

　世界の物語に共通性が見られるのはなぜか、その要因を探る。

6.1　物語の伝播

　多くの神話、物語には類似点が多い。古代バビロニア建国のサルゴン王、預言者モーゼ、エディプス王、桃太郎はすべて、水の中から拾い上げられ、育ての親に拾われ、育て上げられた。そして成長し、英雄となった。

　なぜ多くの英雄神話は共通して箱や籠、「桃太郎」でいえば果実に入れられて流され、水の中から拾い上げられるのか。世界中で非常に離れた場所で似通った神話が各所に存在するのはなぜか。この問の答えとしては、いくつかの説明が試みられている。その1つの説明は、伝播によるというものである。どこかで生まれた (創作された) 話が伝播によって別の地域に伝わったと考えるものである。日本では後藤明 (2017) が世界各地の神話の起源と伝播を扱い、ゴンドワナ型神話群とローラシア型神話群を対比させている。ゴンドワナ神話群はアフリカで誕生した神話群で古層と考えられている。ローラシアとは、アメリカ大陸を意味するローレンシア大陸とユーラシア大陸からの造語である。ローラシア型神話群は北半球にあり、日本人にもなじみが深く、ストーリーラインが確立し叙事詩的である。一方のゴンドワナ神話群は散漫でストーリー性に欠ける、とされる。

　トンプソンによれば、語り手は、物語を複数の人から違った形で聞いてい

ることが多々あるが、それを総合して一種の標準形を作ることで、伝承の過程で安定性が生まれるという。また、物語の聞き手が、物語の変形された部分を訂正することもあるだろう。こうして、1つの中心点へ向かって定まっていくのである。

　伝播による説明は、話の源がどこで生まれ、いつ、どのようなルートで伝播し、広がっていったのか、具体的な比較・検証の可能性を拓かせてくれる。話が原型の生まれた中心から伝播していると考えると、原型に近い類話は全分布地域の周辺部に発見される。これは、方言周圏論によることばの伝播の説明と共通する。水面に石を投げると同心円状に波紋が広がる。ことばと同様に、ある地域から物語が生まれ、伝播すると考えると、同心円状に広がる辺境上の地域の物語は類似する。もし辺境地方の類例が極めて相似していて、とくにそれらが古い類話に一致するならば、それらが古い層に属している可能性が高いという。

　伝播の過程で、その土地の身近な事物に物語の詳細が取って代わられることがあるが、それでも物語の筋やモティーフが温存されることが多い。

　世界の物語にある共通性の理由として、伝播説の他には、人類の食物探索に求めるもの、記憶の構造という認知システムに求めるもの、深層心理に求めるものがある。

6.2　食物探索の旅立ち

　物語に潜む共通した構造は、多くの分野で指摘されてきた。プロップにある「家郷からの出発、異国で課題を果たすこと、帰還」という、近似した多くの話が世界中に広がっている理由として、ブルケルト（Burkert 1996: 88-99）は、食物探索の実践的・生物学的必然性からもたらされたものとしている。

　プロップによる一連の流れは、機能の数はさまざまであっても継起順序（シーケンス）は一定であるというものである。プロップはロシアの昔話について書いたのだが、ブルケルトによれば、「その研究の意義は彼が言っていることを遥かに超えている（同88）」。文字で書かれた最も初期の物語であるギルガメシュ叙事詩（ギルガメシュとフワワ）から、ギリシャ神話、ロマンス、劇、現代の映画、SFからコンピューター・ゲームまで、プロップの構成は簡単に

辿れる（ブルケルトは「うんざりもするだろう同:94」と述べる）。探索物語のシーケンスは驚くほど一定であり、4000年以上にもわたってほとんどあらゆる地域に存在する。これらのプロップのシーケンスの全ては、生物学的必然である食物探索であり、戦闘も含めて必然的に多くの危険を伴うものである。生物学上、その探索に当たるのは食物を探すことであり、同じ食物源を求める他者と闘ったり、だまし合ったり、争ったり、逃走したりする可能性をも含んでいる、ということになる。

　この人類学的説明によれば、プロップの物語は食物探索の実践的・生物学的な必然性の中に、すでに前もって示されている実存的な問題解決行動とされる。

6.3　物語の記憶

　心理学における記憶や理解の研究は、スキーマ、スクリプトなどと呼ばれる、人間が理解しやすい一連の筋の原型の存在を指摘している。

　認知心理学は、人間の記憶、理解などの認知機能を実証的に扱う分野であるが、その祖、バートレット (Bartlett 1932) は文章記憶の研究において、長い間に人間の記憶が自分の理解しやすいように変容する様子を描いた。調査は以下のようなものであった。

　バートレットは、北米インディアンの民話「幽霊の戦い」を被験者に読ませ、その直後、1週間後、数年後にその物語を思い出すように求めるという実験を行った。この話には死んだ人間が生き返るという非科学的な内容が含まれているのだが、被験者の多くはつじつまが合うように、時間と共に自分の持っている知識を加えながら、その文章が全体的な意味を構成するように変容して物語を再生していた。

　このことから、バートレットは、人間はスキーマ（過去の経験から体制化された、抽象的な知識）という知識のひな形を持っており、それが記憶にトップダウン的に影響して、物語の記憶が変容していったと考えた。人は自らのスキーマに基づいて話を理解し、再構成して記憶すると結論づけたのである。トップダウン的処理は、人間の理解活動には欠かせないもので、人は、受け入れた話を自らのスキーマに当てはめ、変容させていくという側面を持っている。

この認知心理学の知見にもとづくと、長い間、口承によって語り継がれていくうちに、人が理解しやすいように記憶が収斂され、多くの神話や物語の構造が著しく類似したと考えられる。

6.4　神話と深層心理

人間の深層心理と物語の類似性を結びつけようとする試みがある。日本では、心理学者河合隼雄 (1994) が物語と夢、深層心理との関係を述べている。

ランク (Rank 1908) は様々な神話が一致するという事実について、交易などによって他の民族に神話が伝播したという考えを挙げつつも、心理学者ヴント (Wilhelm Wundt) の説を支持し、人間の深層心理に答えを求めている。神話が全般的に合致するという理由を原始共同体や伝播に求めるよりも、人間の意識の根底に求める方が、より自然であるという考えである。自分たちよりも前の物語についてかすかに記憶しているというくらいでは、その同じ素材を使って物語を作り直すのは難しい。しかし、人間の意識の根底にモティーフがあれば、合致する内容のものを新しく生み出すことができる。

ランクはフロイト派に属していたが、のちに理論学説上の立場の違いから離反した。夢分析の例を出しながら、子による父母への感情が神話の源泉にあることを示している。

ランクによれば、英雄神話の主たる中心的モティーフ、すなわち身分の高い両親からの誕生、箱に入れられて川に捨てられること、身分の低い両親による養育には、2組の両親が出てくる。英雄を生んだ両親と、育ての両親である。子は成長の過程で現実の両親に幻滅することがある。かつては自分の父親が1番偉くて1番強い男性に見え、自分の母親が1番優しくて美しい女性に見えたのに、目の前にいる現実の両親はそれとは異なる姿である。その幻滅に対して、空想の世界では、本当は自分の両親は身分が高く高貴な生まれなのだということにするのである。神話や民話に出てくる育ての両親は、たいして身分も高くない暮らしぶりをしている。川で籠に入っていたとか果実に入っていたとかいう出生の秘密は、自分の両親は目の前の育ての両親ではなくて、本当は身分の高い両親であるという、両親の入れ替えを可能にする。ランク (Rank 1908: 111) によれば、現実の父親を身分の高い父親に取り替え

ようとする一切の努力は、失われた幸せな時代への子供の憧れの表現に他ならない。

　そして、新しく生まれてきた英雄を箱や籠に入れて水に捨てるのは、他でもない、誕生ということの象徴的表現とされる。周知の通り子供というのは、現実においても羊水から出てくる。きちんと閉ざされた、幼い英雄を保護する箱や籠は、容易に母体、子宮の具体的表現だと認めることができる。拾いあげるという作業は、誕生という事象を直接的に象徴している。

　人間に共通したこのような心の動きが、精神分析に用いられ、神話の理解に用いられている。

　以上、本章では物語作品における共通性を扱った。物語の特徴を捉えるには、プロップのいう抽象化（物語の骨組みを抜き出す）と具体的言語表現の研究（骨組みを肉付けして具体的作品として創作する物語論（第8章））の双方向からの考察が必要である。そして、世界中の物語が共通する理由として、伝播による説明、食物探索による説明、物語の記憶、深層心理からの説明を取り上げた。

コラム　国家と神話、そしてアイデンティティ

　『古事記』（712）と『日本書紀』（720）は、書きことばとして早い段階で固定された神話の例である。どちらも天皇支配の正当性を謳い、国の精神的な支柱とすることを目的としている。『古事記』作成の目的は、諸家に伝わる各種の帝紀・旧辞を天皇の権威によって整理統一することにあった。国文体の最古の古典である。『日本書紀』は、わが国最初の勅撰国史（天皇の命で編修された国の歴史）で、漢文、編年体で記される。どちらも、日本語を知る貴重な文献であるのはもちろん、その内容は歴史や神話の重要な資料である。

　宗教学の山田仁史（2017）によると、日本のように系統的に神話が記録されたことは、世界的に見ても大変まれな出来事だったとされる。ギリシャ神話や中国神話のようにさまざまな書物に神話の断片が散在している場合のほうが多いからである。こうして早期に文字記録として神話が固定されたこと

は、ある意味では幸運なことだったともいえるが、口頭伝承の柔軟性を失ってしまったと見ることもできる（同107）と述べられている。

　工藤庸子（2017）によれば、民間伝承としての神話を編纂し、記録に残すことは国家を統合する上で重要な働きを担う。国民の自覚を促すには、王国の盛衰の物語ではなく、建国の神話が必要だった。神話は出生証明書のようなものであり、これを復唱することは祖先を称える行為ともなる。自国の、あるいは民族の神話がヨーロッパで求められた事情を、「己のホメロスを持たぬヨーロッパ各地の住民にとって、うらやむべき」ものであると述べる。

　スウェーデンとロシアのあいだに位置する国、フィンランドは、これまで隣国の支配下にあり、国土を合併される危機に度々面してきた。このような状況の中でフィンランド語の国家の言語としての立場は危ういものであった。その中で、リョンロット（Elias Lönnrot）は、民間伝承を一大叙事詩に編纂し、『カレワラ』（1835）として出版した。これはヨーロッパの諸言語に翻訳され、フィンランド語の文化的な地位は一挙に上昇したとされる。多くのヨーロッパの国々が国民語を創出するために、戦いと努力を重ねてきた。このような流れの中で、民話や神話は、国や民族の統合の象徴として、あるいは正統性を表すものとして利用されてきた。『グリム童話集』の序文で訳者の金田鬼一は、グリム童話を「大自然の縮図」、「児童の世界の聖典」と讃えている。そして「中欧に独歩の地位を占めているドイツ国民の揺籃をのぞくと同時に、世界人類の空想と道徳との源泉を汲む」と述べている。ナショナリズムと文化的高揚をもくろんだグリムの意図は、この序文を読む限り「成功」している。

　「オズの魔法使い」（Baum 1900）は他の民話と異なり、「むかしむかしあるところに」ではなく、アメリカのカンザスという具体的な場所を持った物語である。作者のバウムがアメリカを舞台としたアメリカ人の童話を持ちたいと願ったからである。アメリカ合衆国カンザス州の農場に暮らす少女ドロシーは竜巻に巻き込まれ、飼い犬のトトと共に不思議な「オズの国」へと飛ばされてしまう。ドロシーは、カンザスまで帰れるように、エメラルドの都に住むというオズの魔法使いに会いに行く。その旅の途中、脳みそのないカカシ、心のないブリキ、臆病者のライオンに出会う。彼らはそれぞれ自分に欠

けているものを手に入れるため、ドロシーとトトと共にエメラルドの都へと向かう。

　神話や物語は、人々のアイデンティティ、自己同一性と結びついている。そして、自己同一性の対象となる集団は国家であることが往々にしてある。バウムの例では、英語による民話や童話には飽き足らず、アメリカを舞台とした童話を求めた。言語も自己同一性の対象である。立川健二 (2000: 101) は、言語は政治に従属していると述べている。デンマーク語とノルウェー語は、全体的に80％が相互理解可能であるが、独立の国家であるから二言語と認識される、オランダ語はオランダという独立した国家の言語として低地ドイツ語とは区別されるという例を挙げ、国家と言語共同体の関係について、国民語の構築をとおして国家は作り出されると述べている。

第10章

ドラマ・アニメの構造とシナリオ術

　本章では、映像作品における物語の提示の仕方、再現の仕方の技法を見る。物語の潜在的構造の共通性とは、裏を返せば、これらの筋を利用することで創作作品に応用できる可能性があるということである。

　人称や叙法、視点の採り方などの文字言語による物語の技法は、ドラマ・アニメ、映画などの映像作品に当てはまるものが多い。しかし、ドラマや映画を特徴付けているもの (の1つ) は、映像作品であることに加えて、何と言っても商業性であろう。非常に長い文学作品も、映像の世界ではせいぜい2、3時間に収めなくてはならないかもしれない。映像作品では限られた時間で視聴者を惹きつけるために、山場を前半に持ってきたり、キャラクター設定を際立たせたり、多くの手法がとられている。

　シナリオ術や創作手法について数多くの著書が出版されている。そこで説かれるのは、視聴者の共感を得るにはどうするかという問題である。

1.　キャンベルによる神話研究

　神話について影響力のある本の1つに、アメリカのキャンベル (Campbell, Joseph) による神話研究がある。映画制作者のジョージ・ルーカスがキャンベルの著作、『千の顔をもつ英雄』 (Campbell 1949) から恩恵を得て『スター・ウォーズ』シリーズを制作したことが知られている (Campbell 1988: 24)。

　『スター・ウォーズ』シリーズは、「遠い昔、はるかかなたの銀河系で」繰り広げられる登場人物たちの戦いと冒険を描いた壮大な物語〈サガ〉、スペ

ースオペラである。ジョージ・ルーカスが制作し、ウォルト・ディズニー・カンパニーが所有する。1977年に公開された同名の映画に始まり、アニメーション、小説、コミック、ゲームなど複数の媒体で展開される。

　キャンベルは、自身の神話研究の目的を、次のように述べる。

　「世界の神話に共通した要素を発見し、人間心理の奥底には絶えず中心に近づきたい、つまり、深い原理に近づきたいという要求があることを指摘することだ」(Campbell 1988: 29)

　「驚くのは、心の奥にある創造力の中心部に触れて刺激を与えるための特徴的な効力が、一滴の水に潮の香りがあったり、ノミの卵の中に生命の不思議が丸ごとあったりするように、最もありふれたおとぎ話の中にある、ということである。神話の象徴は作為的に作られるものではなく、注文も発明もできず、いつでも抑えつけてはおけない。神話の象徴とは精神から自発的に生まれるものであり、その1つ1つが、自らの根源となる胚芽のような力を、損われるようなことなく内に抱えているのである。

　この時間を超越した幻想の秘密は何か。心の奥のどこから幻想が起こるのか。なぜどの神話も、装いを変えながら同じなのか。そして神話は何を教えようとするのか。」(Campbell 1949: 上18)

　キャンベルの神話論が影響を与え続けるのは、彼が伝える神話から懇々と流れ出し、誰も止められない力（フォース）を感じるからではないだろうか。

　神話の本質は人類に共通する「生きているという経験を求めること(Campbell 1988: 29)」にある。キャンベルの『千の顔をもつ英雄』は、『ヴェーダ』経典にある「真実はひとつ。賢人はそれにたくさんの名前をつけて語る」に由来する(Campbell 1949: 下289)。世界には多くの民話、神話があっても、唯一の真実、モノミス(monomyth)という神話の原型を示しているという。

　神話の英雄は世界中に多く現れるが、英雄が成し遂げることは共通しており、それを「英雄の旅」という円環図で説明している。大きくいえば、「旅立ち→試練→帰還の旅」である。「プロメテウスは天界に上り、神々から火を盗んで地上へ降りてきた」が単純な例であるが、物語の多くは、完全な

円環の典型的要素（試練のモティーフ、逃走のモティーフ、花嫁の誘拐）を1つ2つ取り出し、脚色している。この流れは人間の人生にも似ており、精神分析家のジークムント・フロイトとC・G・ユングの研究と対応している（Campbell 1949: 上28）。英雄の旅でいうと、人間の人生サイクルの前半、つまり、太陽が天頂に昇りつつある幼児期と思春期に経験する通過と困難を強調したフロイト、そして、人生の後半に訪れる局面を強調したユングである。人生の後半では、「輝く球体は、落ちて姿を消し、最後には墓という闇の子宮に落ち着くことを甘受しなければならない（Campbell 1949: 上28）」とキャンベルは述べる。キャンベルが英雄神話を取り上げる理由は以下にうかがえる。

(73)　神話における英雄の洞察や思想、インスピレーションは、人間の命と思想の源泉から生み出されたときのままである。したがって今日の崩壊していく社会と精神を物語るのではなく、社会が生まれ変わる時に通る消滅しない源泉を雄弁に物語る。英雄は今を生きる人間としては死ぬが、不滅の存在として、完成した普遍的な人間として生まれ変わる。

(Campbell 1949: 上38-40)

　キャンベルにとって神話は、分析対象ではなく、現代に生きる教訓や希望を与えるものである。次のようにキャンベル自身、述べている。

(74)　証拠となる例をすべて挙げているわけではない（例えばフレイザーの『金枝篇』にならって）。 そんなことをしたら、神話の原型であるモノミスという本筋を少しも明らかにできないまま、各章の頁を増やしてしまうからである。そのかわり章ごとに、広く知られた代表的な言い伝えの数々から、印象的な例をいくつか紹介している 。執筆中、元となる資料は徐々に変えているので、読者の皆さんは さまざまな形の言い伝えに触れて、その独特な趣を楽しむことができると思う。最後の頁をめくる頃には、山ほどの神話にあたったことになるだろう。

(Campbell 1949: 上92)

キャンベルによれば、「神話の韻文が伝記や歴史、科学として解釈されると、きまって、その生命力は削がれてしまう。生き生きした場面が、時空の遠くかけ離れた事実になってしまう。しかも、科学や歴史の点から、神話の荒唐無稽さを指摘するのは、そう難しいことではない。ある文明でこのように神話の再解釈を始めると、神話の生命力は消え、寺院は博物館になり、2つの視点の繋がりは絶たれてしまう。(Campbell 1949: 下93)」のである。

キャンベルにとって英雄神話は生きた物語なのである。

2. 神話をベースにしたヒーロー、ヒロインの旅

ボグラー (Christopher Voglar) はハリウッドの脚本家で、ディズニー社のシナリオコンサルタントを務め、同社の「美女と野獣」「ライオン・キング」などを手がけた。ボグラーは神話学者キャンベルが神話、物語、宗教的儀式、人間の心理学的な発達のなかに見いだした「英雄の旅路」を、映画のシナリオにも適用できるよう簡潔に12のステージ「ヒーローズ・ジャーニー」(英雄の旅路) としてまとめた (Voglar 1992, 1998, 2007, 2020)。ヒーローが、旅立ち、偉業を達成する冒険のことである。

(75) ヒーローズ・ジャーニーのステージ
　①ヒーローが日常の世界に入る所が紹介される
　②冒険への誘いが来る
　③ヒーローは最初は乗り気ではない (冒険の拒否)
　④ヒーローは賢者に勇気づけられる (賢者との出会い)
　⑤ヒーローが自分の世界の戸口を出て行く (戸口の通過)
　⑥ヒーローが試練や支援者に出会う (試練、仲間、敵)
　⑦ヒーローが深い洞穴にやってくる (最も危険な場所への接近)
　⑧ヒーローが最大の試練に耐える
　⑨ヒーローが剣を手にする (報酬)
　⑩帰路につく
　⑪復活する

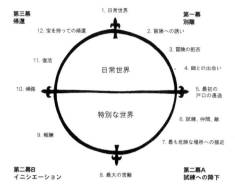

図44 英雄の旅（ヒーローズ・ジャーニー）（Voglar 1992他：282）

⑫宝物を持って帰還を果たす

　この旅路のあらすじは、次の通りである。

　いつもの暮らしをしているヒーローが、冒険への誘いを受け、日常の世界を後にする。仲間に出会い、試練を乗り越え、最も危険な場所にたどり着く。そこで最大の試練に打ち勝ち、報酬を手に入れ、以前の日常への帰路につく。ヒーローは経験によって成長したものとなる。そして宝を持って、日常世界に帰還する。

　ここで強調されるのは「試練」である。⑥⑦⑧は試練に関するもので、⑧でヒーローは最大の試練に対峙する。これは映画としては盛り上がりが必要で、ボグラーが述べるように、よくできたアミューズメントパークの絶叫マシンと似たところがある。ディズニーランドやUSJのアトラクションでは、乗り物に乗って異世界を探検する。そしてスリルや絶叫だけではなくて、物語も提供する。ディズニーランドの「ビッグサンダー・マウンテン」は、勇敢な開拓者ではないと入るのが難しいくらい危険な鉱山という設定であり、うかつに入山するなら災いが起こるというものである。そこをゲストたちは列車に乗り込み、旅立ち、困難を乗り越えて無事に元の場所に戻る。身に危険を感じながらも最大の山場を乗り越える体験を擬似的に提供している。

3. キャラクターの重要性

　ボグラーは、物語の登場人物をスイスの心理学者ユングの原型 (アーキタイプ) を参考に整理している。原型とは、人々の夢やあらゆる文化の神話に繰り返し登場してくる役割で、人々の思考の様々な側面を反映したキャラクターである。

(76)　7つのキャラクター・アーキタイプ (原型)
　　ヒーロー (英雄)：主人公であり、冒険をとおして人間の成長を見せる存在
　　シャドウ (影／悪者)：英雄を死、破滅、敗北に追い込むキャラクター
　　メンター (賢者)：正しい方向へ導くキャラクター
　　スレッショルド・ガーディアン (門番)：新しい世界への入り口に立つ障害
　　ヘラルド (使者)：英雄に重要な知らせ、変化の予兆を伝える
　　シェイプシフター (変化する者)：つかみ所がなく、変化するキャラクター、
　　　　　主人公から見て異性のことが多い。
　　トリックスター (いたずら者)：笑いで楽しませ、いたずらが原因の事故、不
　　　　　謹慎な言動によってシリアスになりすぎている展開を調整する

　宮崎駿 (原作・脚本・監督)『千と千尋の神隠し』のキャラクターは、たちばなやすひと (2021) によれば (77) のようになっている。

(77)　『千と千尋の神隠し』のキャラクター
　　主体：千尋 (千)
　　敵対者：湯婆婆
　　協力者：ハク、リン
　　援助者：釜爺、銭婆
　　犠牲者：ハク
　　狂言回し (主人公を邪魔したり協力したり、敵か味方かよくわからない者)：カオナシ

　日本語に特徴的な現象として、特定のキャラクターを特徴付けるために役

図45 『名探偵コナン』青山剛昌（1994: 56）

割語 (金水敏 2003) という、物語世界独特のことば遣いがある。博士語、お嬢様語などが知られる。図45の『名探偵コナン』で阿笠博士は自分を「ワシ」と呼び、「〜じゃ」などの特徴的なことばを使う。

　ボグラーは物語の基本的なあらすじを簡潔にまとめているが、重要なのは、このあらすじに沿って機械的に物語をまとめることではないという。

　ボグラーがディズニーアニメーション社で古典的なおとぎ話を映画に取り入れる作業をしているうちに、たどり着いた結論は、良質のおとぎ話は、2つの物語を語っているということである。

　第1の物語では、外面的な目的を達成するための物語、つまり、主人公が身体的な危険にさらされる実際の旅が描かれる。

　第2の物語では、主人公が教訓を学び、自分の性格に欠けている部分を育てるため、精神的領域で試練を受け、それを乗り越える心の旅が描かれる。

　すべての基本原則がそうであるように、英雄物語の基本原則は、個々の物語の細部で隠すべき骨組みであり、視聴者にあからさまに悟られないよう秘するべきものである。悟られてしまえば見え透いたものになってしまう。ボグラーは、ここに書いた英雄伝説のステージ順序は、たくさんあるバリエーションのうちの1つに過ぎないので、ステージのいくつかを削除したり、追加したり、この骨組みが力を失うことのないように、思い切って順序を入れ替えたりしても良い、と述べている。

　外面的な実際の旅に加えて、主人公の内面的な達成、心の旅が必要である。ドラえもんの映画版ではのび太はテレビ版とは異なり、勇気をふりしぼってスネ夫やジャイアンと協力し、目的を達成する。その葛藤の中で困難を

乗り越え、自分を信じる心を学ぶのである。昔話の「桃太郎」を一定の時間続く映画にするならば、桃太郎の葛藤や感情を描く必要がある。ボグラーは、長持ちする物語を書きたければ、内外両面を備えた話を書くことを勧めている。「『ロッキー』は偉大なボクシング映画だし、『スター・ウォーズ』はSFアクションをさらに高いレベルに押し上げた作品だ。これらの作品が何十年経っても価値を失わないのは、作品の中で主人公たちが感情面でも成熟できたおかげに他ならない」、と述べている。

4. 物語の提示の順序と放送回

　ドラマや映画などの映像作品を例に、物語の提示の順序の技法を考える。
　映像の中では登場人物の台詞、表情、動作などによって物語は描かれる。映像化されているので、一見、実際の出来事に近いようにも思われる。しかし、起こったであろうすべての出来事が縦横無尽にドラマ化されるわけではない。起こった出来事と語られた出来事には隔たりがあり、出来事は、省略、強調、拡大、要約などの手法を経て、ドラマ化される。
　創作作品では、視聴者を惹きつけるために、さまざまな趣向が凝らされている。連続ドラマの続き方をもとに、物語を「完結した1つの全体」とするための話題の単位、完結性について考える。物語はどのように終結するのであろうか。映画とテレビドラマで異なるのは、映画では『ロード・オブ・

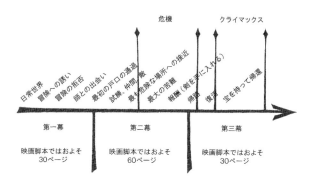

図46　ボグラーの英雄の旅と脚本における割合（Voglar 1992他：33）

ザ・リング』（ニューライン・シネマ作品2001年『The Lord of the Rings』）など3部作の一部として制作されたものを除けば、基本的に1話で問題や事件は完結する。一方、テレビドラマでは、1話完結ものと問題解決が数週間に渡るもの（連続ドラマ）がある。

　連続ドラマにおいて話の連続の仕方は、1つの解決を求めて話が数回にわたって連続していくタイプと、1話完結型がある。1話完結型の例は、藤子・F・不二雄によるSF漫画『ドラえもん』である。毎回、のび太が抱える問題にドラえもんの道具で解決するという設定である。「お料理ワッペン」の回（2019年5月10日放送）を記述する。問題の認識の後、道具によって一度解決するものの、失敗をしてもとの状態に戻ることを繰り返す。

『ドラえもん』「お料理ワッペン」の構造
　　(a) 均衡状態　　　　　　問題を抱えるのび太。
　　(b) 均衡状態の破壊　　　母の日なのでのび太と父が料理を作ろうとする。
　　(c) 問題の認識　　　　　料理に失敗する。
　　(d) 問題解決への試み　　ドラえもんが道具（お料理ワッペン）を出す。
　　(e) 問題解決　　　　　　ワッペンを付けて料理をし、母に料理をふるまう。
　　(f) 教訓とオチ　　　　　のび太と父はワッペンを付けすぎて料理熱がわき、
　　　　　　　　　　　　　　世界の食材を訪ね歩く。素晴らしい料理ができる
　　　　　　　　　　　　　　ものの、疲れ果ててしまう。
　　(g) 均衡の再叙述　　　　あきれるドラえもんの姿。

　「桃太郎」では平和な状態から始まるが、「ドラえもん」ではのび太に問題がある状態から始まる。ドラえもんの道具によって一次的な解決とはなるものの、結局、元の問題の状況に戻るというサイクルを繰り返す。

　一方、アニメ『ONE PIECE』（ワンピース）（尾田栄一郎原作1997、テレビアニメ版1999）では、1話完結ではなく、図のように話題が連鎖する。主人公のルフィは海賊王になる夢を抱き、仲間とともに航海を続ける。原作マンガとは話のスピード、各回の構成は異なるが、どちらも、大きな目標（海賊王になる、仲間を得る）と各回の目標（旅の途中で遭遇する敵との戦い）が絡み合いながら、「均衡状態→均衡

放送回	1	2	3	4	5	6	7	8
海賊王になる	P———							
女海賊アルビダとの戦い	P——R							
とらわれたコビーの労働	P——R							
航海の仲間捜し	P	P——R(ゾロ)			P——R(ナミ)			R(ナミ)
モーガン大佐との戦い		P——R						
海賊狩りのゾロの救出		P——R						
コビーの海軍入隊	P———	——R						
シャンクスの麦わら帽子				P				
山賊ヒグマとの戦い				P——R				
道化のバギーとの戦い					P———			——R
番犬シュシュの戦い						P——R		
カバジとの戦い							P——R	
バギーとシャンクスの過去								P

図47 アニメ『ONE PIECE』における話題の連鎖構造、P＝問題、R＝解決、——話題として焦点化

状態の破壊（問題・事件の発生）→解決」を延々と連鎖する。

　このような連続ドラマでは問題とその解決が多重に埋め込まれている。話題の連鎖の中で、友情や夢、戦いなどが描かれるが、戦いは短い期間（放送回1話分）で解決するのに対し、航海の仲間捜しというテーマはそれより大きく、複数回にわたって繰り広げられる。アニメ版の第8話まででルフィは2人の仲間を得ており、依頼と承認を繰り返している。仲間捜しはこの作品で重要なテーマであることがうかがえる。

　マンガでは主人公ルフィの幼い頃が第1話で描かれ、時系列順で話が進むが、テレビアニメではルフィが成長して海賊になった状態で話は始まり、幼い頃の様子（シャンクスとの出会い）は第4話で描かれる。フラッシュバックの手法を利用している。

　探偵ものでフラッシュバックの手法が用いられる例を紹介する。多くの探偵ものでは、話を実際に起こった順番では提示せず、事件の謎をサスペンスとして保持することで、視聴者の推理をかき立てるよう工夫されている。

　例えば、探偵金田一耕助が謎を解く『犬神家の一族』（横溝正史原作、市川崑監督、1976年東宝／JNN系列）では、出来事は次の順番となっている。事件の発覚とその解決の提示の順序には、探偵の推理力が巧妙に描かれている。

『犬神家の一族』における出来事の提示の順序（甲田直美 2003）

d）犯罪の発覚（犬神家の遺産をめぐり次々と起こる連続殺人）

e）警察・探偵が調査

f）探偵が犯罪の謎a、b、cを明らかにする

フラッシュバック

a）犯人が犯罪を思いつく

b）犯人が犯罪を計画

c）犯人が犯罪を犯す

　実際に起こった出来事はa〜fの順番だが、a〜cはフラッシュバックとして物語の進行中に過去の出来事として再現されている。

　一方、『警部補・古畑任三郎』（三谷幸喜脚本、FNN系列）［警視庁捜査一課警部補・古畑がこれまでに見破った天才犯人の完全犯罪を紹介する形で進行する1話完結の推理ドラマ］では、出来事はa〜fの順番で提示されている。犯罪a〜cの部分は物語の冒頭で視聴者に提示されるので、視聴者は犯人を知っている。どのように古畑警部補が数少ない証拠から犯罪を解き明かすかに焦点が置かれる。

5.　動機付け

　物語性を高める要素として、時間に加え、動機付けの重要性を挙げる。マルティネスとシェッフェル（Martinez and Scheffel 1999: 158）で紹介される、イギリスの小説家かつ批評家であるフォースター（Forster 1927）は、出来事の単なる時間的な展開（ストーリー）と、ある物語の展開の筋を埋める動機の関連性（プロット）を、次のように区別している。

　ストーリーは時間軸に沿って物語られた出来事の展開である。プロットも出来事の展開を物語るものであるが、出来事の間を埋める因果関係に重点が置かれる。「王は死んだ。そしてそれから王妃も死んだ」というのはストーリーである。「王は死んだ、そして王妃は、悲しみのあまり死んだ」というのはプロットである。時間軸は維持されるが、因果律によって、その重要性

が奪われてしまう。ストーリーの場合には、われわれは、それからどうした？という。プロットの場合には、なぜ？と尋ねる。

マルティネスとシェッフェル (Martinez and Scheffel 1999) で強調されるように、フォースターの例における王と王妃の死が、1つの包括的な関係となるには、王の死の後に起こるだけでなく、王の死が原因となって起こるのでなければならない。「悲しみのあまり」という2つの死を結びつける動機によって、物語はより強固なものとなる。

6. 物語の革新性

物語作品には、物語の共通性に当てはまらない例が存在すると思う読者もいるだろう。

例えば、『マルホランド・ドライブ』（Mulholland Drive、デイヴィッド・リンチ監督による2001年のアメリカ映画）は、直線的に進行するストーリーが存在せず、曖昧な断片のパッチワークである。ちなみに、リンチ監督は「ストーリーを理解するためのヒント」を映画とは別の媒体で提示していることから、制作側も難解さを認識していると思われる。

物語の共通性に当てはまらない作品として、視聴者が「難解」だと感じるもの、視聴者に解釈を委ねるもの、謎が謎を呼んで収拾がつかなくなったものもある。物語文法に沿ったストーリーラインを持つシナリオの方が大衆受けが良いとするボグラーのような考えによれば、これらの難解な作品は否定的なものとなる。この一方で、芸術的革新を試みるもの、新たな価値を模索する方向性もある。

以上、本章では、ドラマ、アニメ、映画などの商業作品における物語の提示の仕方、再現の仕方の技法を見た。商業作品では、読者や視聴者の共感を得るよう、様々な趣向が凝らされている。かつてキャンベルは神話の深層構造に人類の探究心を見て取った。これと同様に、多様な商業作品を実証的に記述することで、人々の興味、関心をうかがい知ることができるであろう。

第11章

マンガ、遊び、サブカルチャー

オランダの歴史家ホイジンガ (Huizinga 1938) は、人間の特性を遊ぶことにおき、ホモ・ルーデンス (Homo ludens：遊ぶヒト) と名付けた。

本章では、物語と絵、マンガ、遊びの関係を探り、娯楽文化、サブカルチャーと物語の広がりを外側から見る。

1. 娯楽作品の影響力

物語は時代をとおして大きな影響力を持ってきた。河野 (2017) によれば、私たち社会の構成員が、その創造と受容のプロセスに皆で関わっていると感じられる文化を共通文化という。かつては神話が影響力を持っていたが、現在では、マンガ、アニメ、ライトノベルなどの娯楽作品も大きな影響力を持っている。そのことは販売部数や視聴率に如実に表れている。

漫画全巻ドットコム[18]によればマンガの売り上げ歴代1位は『ONE PIECE』(ワンピース) で5億部である。高田明典 (2020) は、私たちが意思決定する際には、取り込んだ物語が大きな役割を果たすという。同時代において支配的な物語を知ることは、その時代において支配的である価値観を知ることに等しい。何が幸福で、何が正義で何が悪か、多くの場合、様々な物語に端を発して私たちの内部に形成される。そのため、多くの人に受容された物語は、極めて大多数の人々の価値観を映す鏡であると考えることができると述べている。娯楽作品を正統から外れた周辺に位置づけるのではなく、その影響力から時代性や価値観を見ることができるだろう。

内田樹 (2010) は、マンガのサブカルチャー性について次のように述べる。「どれほどビッグビジネスになろうと、マンガは「日陰者」的なジャンルであるという自意識があるからこそ、サブであることの代償としてマンガは自由を享受している、というか自由であり続けるためにあえてサブに踏みとどまっている」。

　解剖学者の養老孟司は内田樹との対談 (内田 2010所収) において、芸術の中でも、絵と音楽の受容は実際の感覚に向かっていくが、ことばを受容しようとすると、どんどん抽象化していくと述べている。「そういうものって、どんどん力を失うんです」。

　マンガに隠された魅力を言語化しようとしたとたん、マンガ本来の持つ魅力が遠のいてしまう気になる。以下、本章では、マンガの魅力、その文化的位置づけに迫りたいと思っている。それは1つの挑戦でもあり、捕まえようとしたとたん、あるいは正当化しようとしたとたん、どこかへ逃げていってしまうかもしれない。

2.　物語と遊び

　物語は虚構性を帯びており、読者は現実世界と分離した空想世界を味わうことができる。物語は発話空間とは別の時空間を持っている。

　マルティネスとシェフェル (Martinez and Scheffel 1999: 12) は、この手続きを「虚構というゲーム」と呼んでいる。物語が虚構として捉えられるためには、「虚構の信号」を用いて聞き手に認識可能にする必要がある。そして虚構の世界の中で、仮の真実性を思い浮かべるのである。この真実性を思い浮かべない人は、虚構のゲームに参入することができず、物語の楽しみを葬り去ることになる。

　物語のはじめと終わりが虚構の信号によって枠づけられていることは、ごっこ遊びを思わせる。ライアン (Ryan 1991: 50-51) が述べるように、ごっこ遊びの遊戯では、遊びを始める際に、置換の法則について協定を結ぶ。固めた砂を「ケーキ」、その上に乗せた石を「いちご」、私は「ケーキ屋さん」、あなたは「お客さん」といったように。取り決めに従って、目の前の砂や石を想

像世界の擬装を示す演算子として設定する。そしてごっこ世界で起こること
は本当のことであるとして、その世界に没入することによって遊びを享受す
るのである。

　ホイジンガは1933年、ライデン大学での学長就任講演「文化における遊
びと真面目の境界について」において、遊びの中に文化の萌芽があると述べ
た。

　カイヨワ (Caillois 1958: 81) は、遊びをアゴン (競争)、アレア (運)、ミミクリ (模
擬)、イリンクス (眩暈) に4分類する。

表10　カイヨワによる遊びの4分類と事例 (Caillois 1958: 81)

	アゴン (競争)	アレア (運)	ミミクリ (模擬)	イリンクス (眩暈)
パイディア性 (遊戯)	競争 取っ組み合い (規則なし)	鬼をきめるじゃんけん 表か裏か遊び	子供の物真似 空想の遊び	子供の「ぐるぐるまい」 メリー・ゴー・ラウンド
騒ぎ はしゃぎ ばか笑い	運動	賭け ルーレット	人形、おもちゃの武具 仮面 仮装服	ぶらんこ ワルツ
凧あげ トランプの一人占い クロスワード	ボクシング サッカー	単式富くじ 複式富くじ	演劇	ヴォラドレス 縁日の乗物機械 スキー 登山
ルドゥス性 (競技)	チェス スポーツ競技全般	繰越式富くじ	見世物全般	空中サーカス

　ごっこ遊び、生活をまねる遊びは「遊び」の分類の中のミミクリ (模擬) に
位置する。模擬の中には、子供の物真似、ごっこ遊びなどの遊戯性の高いも
のから、大人も行う仮面、仮装服、そして演劇のようにある種真剣な競技性
の高いものまでが配列されている。

　カイヨワによると、人間の遊びには6つの要素が含まれているという (1958:
40)。

(78)　カイヨワによる遊びの特性
　①自由な活動：プレイヤーが強制されない活動であること。もし強制され
　　れば、遊びは魅力を失う。

②隔離された活動：あらかじめ決められた明確な空間と時間の範囲内に制限されていること。

③未確定の活動：展開や結果が予想できず、創意の部分があること。

④非生産的活動：財も富もいかなる種類の新要素も作り出さないこと。遊戯者間での所有権の移動を除いて、勝負開始時と同じ状態に帰着する。

⑤規則のある活動：約束ごとに従う活動。この約束ごとは通常の法規ではなく、そのゲーム内だけで通用する。

⑥虚構の活動：非日常の世界という意識を伴っていること。

訳者の多田道太郎の解説 (350-351) によれば、はじめに遊びがあり、遊び本来の要素、すなわち秩序、緊張、動き、楽しさ、無我夢中だったものは、社会生活の後期の段階において、この遊びの中で何かを表現しようとする観念がしみ込んできた。かつてことばのない遊びだったものが詩的形式をとるようになり、遊びにおいて表現が成立したとされる。

さて、この中で物語の魅力は遊びとどう関わるだろうか。物語が演劇となったとき、演者はミミクリ「模擬」を行い、視聴者は共感し自身を投影するかもしれない。アレアのように先行きの不透明さもある。物語が持つ「枠内での虚構」、すなわち②隔離された③未確定さ④非生産的⑥虚構性も当てはまる。読者が物語の主人公の中に自分を見いだすことはミミクリに通じる。子供の物真似、空想の遊びが物語世界で実現されると考えるなら、これもミミクリに通じる。RPGでプレイヤーの役割を演じる場合、ライトノベルで読者が二次創作を行う場合は受ける遊びではなく創る遊びである。この場合、模倣の他に創作の喜びが存在する。

カイヨワが挙げる遊びの分類は決して網羅的ではなく、物語の創作、享受に関わる全てが含まれているわけではないが、物語は人間の楽しみと密接に結びついていることは疑いようがない。早くに文化における遊びの重要性を指摘したホイジンガは、文化は遊びの中で始まった (Huizinga 1938) と述べた。文化の堕落形態としての遊びがあるのではなく、あらゆる文化の萌芽が遊びとして「遊ばれ」ていたと多田道太郎は述べる。

3. サブカルチャーと文学

　表現群のまとまりをジャンルという。例えば文学作品の場合には、小説、随筆（エッセイ）、伝記、ノンフィクションなどがある。より詳しい区分（小説であればSF小説、ライトノベル、娯楽小説）もジャンルの1つである。ジャンルとは一貫した分類ではなく、作品群の特徴を示すために用いられる。

　本節では文学作品のジャンルと文化について考える。

　ジャンル区分自体、截然と分かれているわけではない。児童文学というジャンルについて、トンプソン（Thompson 1946: 446）は出版社、図書館ともに、民間説話、創作物語を児童文学として分類する傾向があると述べている。この分類は実用的な措置としては正しいけれども、これらの話を子供のものとして切り離すのではなく、大人になってからも享受できるものであると述べている。

　榎本秋（2008）が指摘するところによれば、最近では、児童小説のライトノベル化という動きが見られ、マンガ風のイラストを多用し、ライトノベル作家を登用するなどの傾向が見られるという。例えば『涼宮ハルヒの憂鬱』はライトノベルというジャンルに属する。ライトノベルとは、マンガ・アニメ調のイラストを多用していること、ファンタジックな要素が登場すること、「ライトノベル」レーベルから出版されていること、キャラクターが物語の中心になっていることを特徴として挙げている。メイナード（2012）が挙げるジェイムソン（Jameson 1990）の説、ポストモダン社会の特徴として従来のハイカルチャーとサブカルチャーの差がなくなったことからもライトノベルの境界は曖昧になっている。

　それでは文学の一分野としてマンガ、ライトノベルをどう考えれば良いだろうか。もし純文学を遠くて「高尚な」ものと捉えると、自分からは遠い存在になる。一方で、マンガやライトノベルは読むのに疲れない身近な娯楽として人気を博している。それは発行部数からもうかがえる。

3.1　ことばの遠近
　話しことばと書きことばという対立は、伝達の媒体が音声か文字かという

物理的に明確な区別である。しかし、話しことばであっても講演や学会発表は硬い文体であり、文字であってもSNSによるコミュニケーションはくだけた文体である。そこでコッホら (Koch and Oesterreicher 1985) は伝達媒体に加えて、「遠いことば」「近いことば」という対立軸を示した。

　以下では、この対立軸を用いて文芸におけるマンガやライトノベルの位置を図示し、根底にある価値観を考える。

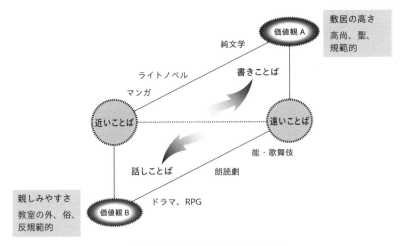

図48　ことばの遠近と根底となる価値観

　図48の上段は書きことば、下段は話しことばである。横軸は遠近、縦軸は書きことばと話しことばの対立だが、この根底には2つの価値観が存在する。話しことばは種としても個人の生育歴でもヒトが第1に獲得した言語だが、書きことばは後天的に生み出され、あるいは絵本や学校制度によって学習した遠いことばである。岡本夏木 (1985) では、子どものことばの発達を2段階に分けてとらえており、誕生してからことばを獲得していく幼児期の「一次的ことば」、そして学童期以降の「二次的ことば」がある。二次的ことばでは「話しことば」ばかりでなく「書きことば」も加わり、公の場面や立場の異なる人へ向けたことばの使い方となる。これら2つのことばが層を成して積み重なり、大人のことばに成長してゆくのが理想であるとされる。こ

とばの近さと遠さ、それぞれに価値があり、近いことばは身近で親密な関係の維持に使われ、遠いことばは書きことばに典型的に見られるように、時と場所を隔てた伝達を可能にする。人が両方のことばを使ってきたように、文学においても両者が存在する。

3.2　サブカルチャーの位置づけ

　ことばの遠近は個人によって異なる。ライトノベルの文体は負担無く読めるような平易さとともに、凝った呪文や固有名詞、擬音などの造語を含んだ「ポストモダンなポップな日本語」(メイナード 2012) である。この点で特定の層(特定の中高生)からは「近いことば」となる。一方、教材として読むことはあっても、自ら購入しようと思わなければ、その作品は遠いことばとなる。

　近いことばは親しみやすいが、儀礼には用いられない。儀礼にはハレのことばが用いられる。

　図で価値観A、Bとしたものの内実を一様に求めることは難しいが、難波功士 (2007) が概観するサブカルチャーの定義から、3つの対立軸を紹介する。サブカルチャーという語は、アメリカ都市社会学の中で、国民文化全体に対する、人種やエスニシティに基づく部分文化を示す用語として生まれたという。何に対する「サブ」なのかという観点から、大きくいって3つのパターンがあるという。

①高級文化(ハイ・カルチャー)に対するサブカルチャー。それは大衆文化(マス・カルチャー)であり、マスメディアと深く関連する。

②全体文化(トータル・カルチャー)に対するサブカルチャー。それは当該社会における部分文化であり、セグメント型のメディアと深く関連する。

③主流文化(メイン・カルチャー)に対するサブカルチャー。それは対抗文化であり、オルターナティヴなメディアと深く関連する。

　リオオリンピックの閉会式での、次回大会 (東京オリンピック 2020、開催は 2021年)への引継ぎセレモニーの招致に当時の首相がスーパーマリオのコスプレを見せたことや、政府の「クールジャパン戦略」と呼ばれる施策 (日本のソフトパワーを強化する 2019年に打ち出された試み) に「アニメ」、「ポップカルチャー」が含まれるなど、サブカルチャーの概念は変容してきている。

大衆文化は、一般大衆に広く愛好されるポップカルチャーと考えることができる。大衆化が行き着いた先は、一次作品構築後のメディアミックスではなく、一次商品としての作品がないままに、1つの設定・世界観から並列した商品 (≒物語) を無限に生み出すTRPG (テーブルトークRPG、あるいはテーブルトップ・ロールプレイング・ゲーム、元来のRPGをコンピューターRPGと区別するために使われる呼称) のような形態 (大塚英志 2014) だという。

4. 物語と絵

『不思議の国のアリス』の中で、アリスは言う。

「挿絵もせりふもない本なんて、どこがいいんだろう」と思ってさ。(ルイス・キャロル、矢川澄子訳『不思議の国のアリス』新潮文庫 1994)

アリスが言うように、挿絵とせりふは物語を生き生きとさせる。本節では、マンガ、挿絵、絵巻をもとに、物語と絵の関係について見ていく。

日本の文学史上、坪内逍遥 (1885-1886) の『小説神髄』を契機とする、視覚を頼りとしない、写実的な近代小説を求める見方が存在する。近代小説が「文学」を名乗るにあたり、人間の感情を詳細にことばで描写することは欠くべからざるものであった。しかし、大衆に流布してきた物語にとっては、絵の楽しみ、人情や風俗を描くことは重要な要素であった。

マンガは大衆とともにあり、その歴史をたどると、手塚治虫の『鉄腕アトム』をはじめとする一連の作品、もっと古くは田河水泡『のらくろ』などがある。マンガが登場する以前から、物語における絵の重要性を示す例は早くから存在した。内田樹 (竹宮・内田 2014) は、どのような流行にも先駆的形態がある。マンガに限らず、ある文化現象が突然生成するように見える場合でも、それには必ず前史が存在する、と述べている。以下では、マンガの紙面の特徴に続き、挿絵、絵巻に先駆的形態としての特徴を見る。

4.1 マンガ

マンガは話の展開をコマ割りによって動的に描写し、絵が情報の本質部分を占めるもので、挿絵とは異なる。マンガの特徴としては以下が挙げられる。

（79）　マンガの特徴
- 文章による説明ではなく、視覚情報を絵として提示する
- 擬音語擬態語が多用される
- コマやフキダシなど独特の形式に沿っている
- 効果線、文字種による情報性（サイズ、フォント、手書き、白抜きなど）、漫符（現実ではありえないが、そのシーンを表すために描かれる符号（例：💢（怒り））など、視覚情報が多用される

図49　用いられる文字のフォントも相まって、台詞に感情のトーンが加わる。
（『マンガ　面白いほどよくわかる！ギリシャ神話』かみゆ歴史編集部編 2019: 233）

　マンガは、コマ割りによって物語の時間展開を表し、コマで割られた区画ごとにカメラアングル、視点、ズームを描き分ける。その連続性がドラマ性を生み、物語内容の焦点化やサスペンス性に貢献する。
　漫画家の竹宮惠子は、アメコミ（アメリカンコミックの略、「アベンジャーズ」や「スパイダーマン」などが有名）が、スピード感のあるコマ割りができておらず、演出的に派手に見せることができない紋切り型な展開になっていることを指摘している（竹宮・内田 2014: 24）。

内田 (2010) も同様に、アメコミはことばと画がシンクロしていない感じがすると述べる。どれほど上手い人が描いても、フキダシの多いコマでは絵が静止してしまう。

多くのフキダシにたくさんのことばを詰め込むため、絵が動くというよりは、説明が主体であるように感じるものもある。

それでは、日本のマンガはどうだろうか。コマ割りの大小や形態に変化を持たせること、遠近法、カメラアングルによって、動きが強調されたものが多い。また、マンガにおける絵と文字との絶妙なバランスは、負担無く物語世界に読者を引きつける。通常、ことばだけによる物語では全ての情報はことばをとおして伝達される。しかし、マンガは静止画による視覚情報であるにも関わらず、擬音語擬態語の多用や文字種等を用いて、音色や動きを表現している。

4.2 挿絵

文字が主体の作品における絵は挿絵と呼ばれる。絵本では、絵とことばが相まって物語の世界を提示する。

海野弘 (2015) によれば、19世紀末、北欧神話への想像力は一気に高まった。その一つの契機が、ワーグナーのオペラ『ニーベルングの指環』(1848年〜1874年) であったという。ワーグナーはドイツの伝説に北欧神話を取り入れ、そのコスチューム・デザインは北欧神話の視覚化を開花させた。人々は聞いたり、読んだりするだけでなく、見たいと思ったのである。北欧神話はギリシャ神話と異なり、古くからの図像的資料が限られているため、画家たちは創意を凝らしたという。

そこに登場する、戦場で勇敢に戦って死んだ人の魂を運ぶワルキューレの像は中世

図50
女戦士ワルキューレ
アーサー・ラッカム画
海野 (2015: 22) より

の遺物に刻まれているが、当時の画家によって、たくましくブロンドの美しい女戦士となり（図50）、そのイメージは現代のコミック・アニメの美少女戦士像の原型となっているという。美少女戦士は、コミック・アニメの定番のキャラクターであり、斎藤環 (2006) による「戦闘美少女」、河野 (2017) による「戦う姫」などの論によって特徴付けられる。視覚的イメージを獲得したことにより、ある種のキャラクターとして固定した。

　絵は具体的イメージを与えるが、一方で、物語のことばと絵のイメージが乖離することもある。物語を読んだ後に絵や映像を見た場合に、当初のイメージとギャップを感じることがある。これは声の場合も同様で、物語やマンガがアニメ化された際に、声優の肉声にギャップを感じることもあり得る。

4.3　絵巻

　絵巻は、「絵」と、話の内容となる「詞書」とから成り立つ巻物（巻子本）で、両者が共同して物語となっている。絵巻には、長く続く連続式絵巻と、詞書で区切られて一場面が構成される段落式絵巻とがある。

　数枚あるいは数十枚の紙（まれに絹）を横に継ぎ合わせてつくられた絵巻の縦幅はだいたい30cmくらいのものが多く、横の長さは数十メートルに及ぶ。普段手にする本の形状と比べると、絵巻は縦（天地）に対して、横幅が極端に長すぎる形状をしている。榊原悟 (2012) によると、作品を見る立場からいうと横長のいびつな画面の特徴は一目で画面全体を把握することができないという一点につきる。

　絵は本来、物語のある瞬間を切り取ったものであるので、時間的展開は表しにくいのだが、その解決策が開いた分だけ見て鑑賞するというものである。鑑賞者自らが物語の進行方向（左方向）に広げ、そして熟覧する。次に進む際は、右側（物語の過去）の開いている部分を一旦巻き取り、再度、左方向に広げる。見ている部分の限定とその繰り返しがマンガでいうコマの分割となり、時間の遷移を支える。

　絵巻物というと、絵だけを描いた巻物というふうにとられがちだが、絵巻物はほとんどすべて詞（ことば）と絵が描かれている（『鳥獣人物戯画』のように絵だけを描いたものもある）。

図51 信貴山絵巻：現代の漫画のように動きを線で表している。(『信貴山縁起絵巻』サントリー美術館 1999)

図52 鳥獣戯画の部分：カエルの口から線が出ている

物語の進行スピードは鑑賞者の開いて巻くという手動作にかかっており、自分でスピードを調整できる。スタジオジブリで知られる高畑勲 (1999) は、絵巻物に映画的、アニメ的な原型がすでに見られたと述べている。

通常、美術館では、絵巻は長く広げられた状態で展示されているが、手に持って一定の幅 (肩幅くらい) ずつ鑑賞し、物語の時間を追いかけることによって、絵巻の動きを体感していたと考えられる。

4.4　物語における絵のはたらき

絵や線画、イラスト、写真は、何かを描写あるいは写実したものである。一方、図は、文章内容の鍵となる概念の構造や組織をより抽象化して描いたものである。絵と図は、表象するものは異なるが、どちらも文章の理解を助けるはたらきがあり、要約文などの言語情報より文章理解に有効であることが示されている (Bransford and Johnson 1972, 岩槻恵子 2003)。

レヴィら (Levie and Lentz 1982) による絵や図の役割から、物語に関連した機能について紹介する。

①情意面での機能

絵や図は、物語の興味を惹く機能がある。小学校の国語の教科書には挿絵が多く使われている。絵を載せることによって児童は興味を持ち、安堵感を

覚える。文章とは直接関係がない絵が、装飾のために用いられることもある。

②理解への補助

　絵や図は馴染みのない内容や理解しにくい対象の解釈に役立つ。これを表示機能という。

　『オズの魔法使い』は、出版当初から豊富な挿絵を含んでいた。「ブリキの木こり」、「臆病なライオン」、「エメラルドの都」などの馴染みのない内容が挿絵によって具体的に表された。

　岩槻 (2003) によると、文章は継時処理を必要とするため、情報間の関係を把握しにくい (すなわち情報間の関係の明示性が低い) 呈示形式であるが、一方、図は空間配置を用いた同時処理を求める呈示形式であるため、情報間の関係を一目見ただけで把握できる。この利点のため、同じ内容を文章から読み取るよりも図の方が楽に理解できる。文章の難易度が上がるほど図や絵の効果は高くなる。

　ことばの線状性や、主語と述語の係り受けの遠さ、複文などの複雑な文構造に対し、絵は一瞬で把握することのできる特性を持つ。

③代償機能

　文字が読めない場合や読解力の低い読み手には、絵が文字の代償となる。

　以上のように、絵は情意面や認知面で、物語の理解に役立つ。しかし、挿絵は必ずしも物語の作者が描いて指定したものではないため、絵が物語を別の解釈に誘導する可能性もある。平岡雅美 (2006) は、小学校4年生の国語の教材「ごんぎつね」(新美南吉 1932) の挿絵が児童の物語の解釈に及ぼす影響について、平成17年度版の東京書籍版 (黒井健・画) と光村図書 (かすや昌宏・画) を比較している。黒井による挿絵は淡い色彩で幻想的であるのに対し、かすやのものははっきりした線で事物を描いている。兵十に思いを寄せていたキツネ「ごん」は、兵十の火縄銃で撃たれてしまう。この無残な出来事は、より現実的な描写を用いたかすやの挿絵によってありありと児童に伝わっていた。物語の解釈が挿絵によって影響を受けることを示している。

5. コンテンツと技法

　マンガは、冒険、人間模様、恋愛など、多様なコンテンツを描いてきた。絵と文字を組み合わせた手法は、細部に技巧を凝らしている。各コマが持つ視点の描き分けは、他の追随を許さない表現力を持つ。マンガの読みやすさ、感情移入のしやすさは、作り手の創意工夫と革新の賜物である。

　高い販売部数、興行収入を上げる作品には、受け手の望む世界観が含まれている。内田 (2010) は、なぜ日本の若者たちは尾田栄一郎『ONE PIECE』に熱狂して、涙を流すほどに感動するのか。それは、彼らの何らかの欠落を満たしているからだという。若者が切望しているが、現実の世界には見出しがたいものとして、内田は海賊たちの組織論を挙げる。

　マンガの持つ自由なテーマ、コンテンツは、それが受容された時代の価値観を詳細に映し出す可能性を秘める。それは制度や規制から押しつけられたものではなく、個人の選択の自由によるものだからである。二次創作からメディアミックスまで、娯楽文化への多様な参加のあり方は、文化と遊び、人間への深い洞察をもたらすであろう。

　以上、本章では、マンガ、遊び、サブカルチャーの文化的位置づけと、娯楽作品の影響力を見てきた。そして物語と絵の関係を探った。マンガの面白さは遊びと結びついており、サブ的な位置であることがその魅力を支えている。

第12章

マンガと視点現象

　マンガは物語を文章ではなく、絵とセリフを主体として描くものである。物語の進行は、コマ割りによって動的に描写される。

　絵とセリフが主体であることから、小説などの文章による展開に比べ、ドラマのように物語を直接見ている印象を与える。物語の述べ方(叙法)でいうところの模倣・再現としてのミメーシスのようである。しかし、各コマには描く視点、ズームイン、ズームアウトなどの描き方がなされる点で、事態の完全な模倣ではなく、作者の描き方が存在する。

　本章では、マンガを例に用いながら、物語の述べ方である叙法と、視点現象に関わる技法である遠近法を見る。マンガを用いて検討することにより、視点現象について、より具体的に検討することができるであろう。視点は物語の描き分けにとって重要な要素である。この点は、文字による物語と同様、絵を用いたマンガも同様である。

1. 視点現象の分解

　視点は、小説やマンガなど、多くの作品で注目されてきた。しかし、「視点」に関する語は立脚点、注視点、遠近法など数多く存在し、スタンツェル (Stanzel 1979: 13) にあるように、まちまちに使われている。その中で、生態心理学をもとにした本多啓 (2005: 32–33)、マンガをもとに論じた竹内オサム (2005)、泉信行 (2008)、出原健一 (2021) はより詳細に視点を分析している。本多は人間の知覚を、竹内、泉、出原はマンガを対象としていることにより、

実際の見えと表現について踏み込んで議論している。

　マンガは一枚の絵ではなく、コマの連鎖からなっており、それぞれのコマは「焦点人物」、「立脚点」、「視界」を持つ。本章では、これまで「視点」として包括されていた概念を、「焦点人物」、「立脚点」、「視界」に分解し、実際の作品から解説する。これらの概念は、より細分化することも可能だが、筆者のこれまでの論考（甲田2001）で言語の用い方と関わると判断した3つに絞って取り上げる。

　「焦点人物」とは、その場面での知覚、動作の主体である。「立脚点」とは、何かを知覚する起点となる立ち位置である。「視界」は知覚される対象の範囲である。「視」覚でなくとも聴覚でもありうるので、「対象野」でもよいが、わかりやすさのために「視界」としておく。

　図53は『名探偵コナン1』からで、主人公コナンが毒薬を飲まされて気絶した後、徐々に意識を回復する様子が描かれる。

図53　意識を徐々に取り戻す主人公コナンの視界の変化が表現される（青山剛昌『名探偵コナン1』1994: 39）

　右のコマから左のコマに行くにしたがい、主人公コナンの目は徐々に開いていき、視界は次第に鮮明になっていく。ここでは、登場人物の知覚をとおして周囲の警官が描かれており、読者と登場人物の知覚は一体化する。

徐々に見開いていく目はアーモンドの形で視野が限定されることにより、読者はコナンの知覚に重なり合う。竹内 (2005) が同一化技法と呼ぶものの一種である。もしアーモンド形の外側が黒くなく、そのままコマを描いていたらコナンの視界とはわからないだろう。限定することが知覚の立ち位置を明確にする例は多い。本多が挙げるマッハの自画像 (Self-Portrait by Ernst Mach) は、Mach 自身の左目に見えた光景を描いたもので、右端に描かれているのは Mach の鼻であり、中心に伸びているのは脚であるという。

Figur 1.

図54 マッハの自画像 (1886)

知覚を左目に偏らせていること、視覚に自身の鼻を入れていることにより、「環境の知覚が自己の知覚を相補的に伴う (本多 2005: iv)」自己の立ち位置がよりわかるものとなっている。

知覚や動作をする主体を焦点人物と呼ぶ。次のページ「蜘蛛の糸」の例 (80) と図53 におけるそれぞれの人物 (犍陀多／コナン) は知覚や動作をする主体であり、焦点人物である。しかし、描かれ方は異なる。(80) では「犍陀多」は「と笑いました」と動作主体が報告されるため、読者は犍陀多と一体化しているわけではない。一方、図53 では読者はコナンの視界を通して事態を認識する。

これまで焦点人物と視界を見た。「立脚点」は、何かを知覚する起点となる立ち位置である。

次の図55 の A、B は、どちらも男が走っている様子だが、図A は中立的な描写であるが、図B は走る男が、その後方から「何か」に追われているように描かれる。男を追う「何か」の存在を暗示し、それを立脚点として描いている。

以上、視点と呼ばれる現象を「焦点人物」、「立脚点」、「視界」に分解した。マンガでは、何に注目させ、どの視点で描くのかを、それぞれのコマで描き分けている。一方、ことばのみによる物語においては、コマ割りはな

図55 アングルの描写 (かとう 2014: 38)

いので、どのように表現をフレームとして切り取り、言語化するかが工夫されている。言語化の例としては、接続詞の使用、視点の移動「すると」(甲田 1998, 2001)、時間の移動「それから」や他の時間表現がある。以下の例は、地獄の犍陀多が天国から降りてきた蜘蛛の糸を手にした場面 (第8章の再掲) である。

（80）　犍陀多は両手を蜘蛛の糸にからみながら、ここへ来てから何年にも出した事のない声で、「しめた。しめた。」と笑いました。

（芥川龍之介「蜘蛛の糸」）

　この場面は地獄の犍陀多の心情を描いており、遠近法の「近」に当たる。しかし、「犍陀多」が笑った様子を描写しているのは「犍陀多」ではない。自分が笑った様子を描写することはないからである。「犍陀多」の視点に結びついてはいるが、3人称としての「犍陀多」が作者によって物語られている。「犍陀多」の内面の描き方にはいくつかの可能性があり、「しめた。しめた。」と心内語を引用する場合 (直接的)、「と笑いました。」と解説や描写を差し挟む場合 (叙述する観察者を介しての描写であり間接的) がある。

2. コマの移動と立脚点

　マンガは分割されたコマを読み進めることによって物語が展開する。1節で見た焦点人物、立脚点、視界は、各コマではどのように表現されているだろうか。本節では、コマの連鎖から見ていく。

　以下は、『転生したらスライムだった件』をマンガ化したものである。サラリーマンだった主人公の男（コマ①の右下）は、後輩とその婚約者と食事に出かける。ところが、主人公の男は通り魔（コマ⑤）に刺されて死んでしまう。物騒な場面であるが、その後主人公は転生してスライムになり、異界での活躍が描かれる。

　コマ①で微笑み、（食事代を）「先輩　今日は俺が持ちますよ！」と言ってい

図56　『転生したらスライムだった件』　原作：伏瀬、マンガ：川上泰樹、第1巻第1話：7

るのは後輩である。この様子は主人公をコマの右下、後頭部から配置することによって、主人公が見る様子を含めて描写される。

　コマ②の絵の立脚点はカップルの前方（進行方向）にあり、「カップル―主人公―後ろの建物」を結ぶ直線の遠近法的固定によって、構図の奥行きとともに、幸福度の高低が表現される。

　下段コマ③の絵の立脚点は②とは逆で、主人公の後ろにあり、主人公の前方（進行方向）にカップルが小さく描かれる。②、③と続く主人公の 心内語 によって主人公の内面が描かれる。

　下段中央コマ④で、主人公は「キャー」という悲鳴に「!?」と驚く。

　コマ①〜④まで、絵の立脚点（カメラワーク）は前後に移動している。マンガはコマで区切られており、そのコマごとに絵の立脚点がある。フキダシ（セリフ）に心内語があることによって語る私（1人称視点）が表現される。コマ①〜③は人物を俯瞰した構図であるが、④は主人公の顔に接近して描くことにより、驚く様子が描かれる。

3.　共同注意と同一化技法

　④で気づき、⑤の「なんだ!?」という心内語と共に描かれるのは、主人公から見た視界である。⑤⑥は主人公を立脚点に、その視界が描かれる。⑤では誰かが自分に向かって走ってくる様子、⑥では手に握られた包丁が描かれる。この間、何が起こっているかは主人公には把握できない。読者も同様に、この共同注意に参加させられている。読者と登場人物を一体化する技法、主人公の視界を読者の心理体験のなかに重ね合わせる手法である。

図57　（後半部分の再掲）

　このような技法を竹内（2005）は同一化技法と呼んでいる。後に出原（2021）はマンガ表現論における竹内（2005）、泉（2008）の視点論を取り込みながら認知言語学とマンガ学の接点を求めている。その中で共同注意（joint attention）と

いう、他者と一緒に同じものに注意を向ける性質を用いてマンガの視点を説明している。共同注意とは、系統発生的、個体発生的にも言語発達において不可欠な要因とされる。最初のコマで読者の注意を特定の登場人物に向けさせることで、読者と語り手の間で誘導的共同注意を成立させ、さらにその直後にその登場人物の知覚（主に視界）・思考を提示することで、そのキャラクターの1人称視点に切り替える手法として指摘している。

　この作品の原作は以下のようになっている。

（81）　妬んでも仕方ない。そう思って俺が言った時だ。
　　　　「「「キャーーーーーーーーー」」」
　　　　悲鳴。混乱。
　　　　なんだ？何が起きてる!?
　　　　「どけ！殺すぞ!!」
　　　　その声に振り向くと、包丁と鞄を持った男が走ってくるのが見えた。
　　　　悲鳴が聞こえる。男が向かってくる。手には包丁。包丁？その切っ先には……。
　　　　　　　　　　　　　　　（伏瀬『転生したらスライムだった件』1：8–9. 下線筆者）

　下線部は同一化技法が用いられている。接続助詞「と」の前件は立脚点、後件は立脚点から見える視界である。このような技法は他の作品でも確認できる。
　図57のマンガでは同一化技法の前に立脚点を定める際、登場人物のアップが用いられていた。次の「スーホーの白い馬[19]」でも同一化技法が用いられている。

（82）　おばあさんが心配していると、何か白いものをだきかかえたスーホーが帰ってきました。よく見ると、それは生まれたばかりの、雪のように真っ白い子馬でした。
　　　　　　　　　　　　　　　　　　　　　（「スーホーの白い馬」下線は筆者）

　次の挿絵は、（82）の場面に対応しているものと思われる。白い馬を抱いた少年、その背後に羊の群れが見える。

図58 川上和生・画

　（82）では、おばあさんの心理状態（「おばあさんが心配している」）、おばあさんからの対象把握の限定性（「何か白いもの」）が描かれた後、「よく見ると」というように見る立脚点が示される。おばあさんから見えた「視界」には、「生まれたばかりの、雪のように真っ白い子馬」だったということが述べられる。読者はおばあさんの体験と一体化してスーホーとその馬を見るのである。この構造は、同一化技法であり、接続表現「～と」や「すると」は物語内で立脚点を定めるのに用いられる。

4．フキダシと叙法

　フキダシは、マンガなどの音が無い絵を主軸とした表現媒体における、発声の表現技法である。登場人物のことばや思考を場面ごとに文字を囲って表す。マンガの特徴としては、擬声語、擬態語の豊富さもあるが、フキダシの多彩さも挙げられる。

　叙法とは、物語の内容を再現し伝達する様態のことで、伝達遂行者の種類（語り手／映し手）の区別である（第8章）。マンガにおけるセリフは、登場人物の語りを直接再現するものであり「映し手」となる。マンガ内における場面の解説、時の指定などは「語り手」を媒介として示されるものである。セリフだけでマンガが進行すれば、語り手によって「物語られる」わけではないので、描写の直接性の印象が生まれる。しかし、実際にはマンガの作者、絵の描き手が存在し、時にナレーションを挟むことがある。また、作者は会話、心内語、情景描写などを多彩なフキダシの形と字体によって描き分けている。

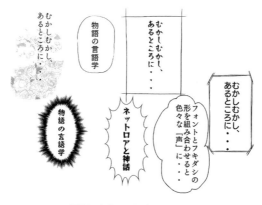

図59 多様なフキダシとフォント

　よく見られるフキダシの形は、通常の台詞は丸や楕円や風船型、驚きはトゲのある爆発したような形、長方形はナレーション、多角形の種類、非均一な線の太さなどが使い分けられている。

　マンガにおける文字は、本来、感情も音色もない文字をフキダシの形やフォント、大きさなどの視覚情報を駆使して感情や音色を与えている。

　ところで、マンガではフキダシに囲まれずに文字が挿入される場合がある。1つは、語り手による解説の場合で、登場人物の会話とは別に、物語進行上の解説が挟まれる。図32(マンガ『呪術廻戦』の一場面、p.71)では右下のコマに「喜久福」という地方(仙台)で流通するお菓子の解説が入る。解説が必要な具体的商品名を入れることで、架空の存在である登場人物に食の好みや実在性を与える。解説の前後にある登場人物の会話は途切れなく続いていることから、読者は物語世界とは別の時空間(作者の存在領域や現実の世界)を認識する。もう1つは、1970年代の少女マンガで多用されたという、鈴木雅雄(2017)が指摘する「フキダシのないセリフ」である。

　図60は池田理代子『ベルサイユのばら』でマリーアントワネットがオーストリアからフランスに嫁ぐ場面である。

　図60の左上(コマ①：最上部のコマ)は、「花嫁の引渡しは国境ケールとストラ

図60 『ベルサイユのばら』第1巻：45

スブールにまたがる～」は作者あるいは語り手による解説で地の文であるの
でフキダシに囲まれていない。

　一方、左下から2番目のコマ（コマ④）もフキダシに囲まれていない。コマ
③で、「オーストリア製のものはすべて身につけていくことは許されない」
「ぜんぶフランス製のものにきがえていただきます」という侍女のセリフの
後に続くマリーアントワネットの「なにもかも…すべて…ですか？」（④）が
フキダシで囲まれていないにもかかわらず、次のコマ⑤で侍女は「はい」と
答えている。

　池田理代子による『ベルサイユのばら』では、このようにフキダシに囲ま
れておらず、あたかも心内語のような言葉がセリフとして多用される。心内
語は本来、当事者にしか知り得ない内面であり、この心内語と（音声情報として

の）会話のセリフとの境界を曖昧にすることにより、登場人物の内面からセ
リフを描いている。この内面からのセリフは、登場人物にとって立場上、公
にすることができない心情である。国家や王室における規範と、生きた個人
としての心情との間を揺れ動きながら、物語は展開する。この作品で多用さ
れるフキダシのないセリフは、政情と、それに翻弄される個人との対比を描
き分けている。

　以上、本章では、物語の視点現象を「焦点人物」、「立脚点」、「視界」に分
解し、マンガにおける技法をもとに実際の作品から具体的に観察した。

コラム ジェンダーと物語

　物語の解釈は、それが読まれる時代と価値観に依存する。制作者側も、ま
た、大衆の価値観を読み取りながら作品を制作している。

　ディズニー映画『アナと雪の女王』(2013) は、これまでのディズニーのプ
リンセス文法とは異なっている。これまでのディズニー映画に出てくるプリ
ンセスは、異性と恋に落ち、結ばれることが物語の中心的課題として描かれ
ることが多かったからである。

　物語はアレンデール王国の王女エルサとその妹アナとの姉妹愛の物語であ
る。王女エルサは、触れたものを凍らせ、雪や氷を作る魔法の力を持って生
まれたが、その力を解き放つ (Let It Go) 力を使いあぐねている。一方、妹のア
ナは天真爛漫な性格で、自分を犠牲にしても姉を救おうとするほど姉を慕っ
ている。魔法を持たないアナは、エルサを救い出すため、真実の愛と勇気に
よって恐れを克服し、エルサを救い出す。

　河野 (2017) がこの物語をポストフェミニズムの文脈で検討したように、王
女エルサが達成したことは、自身の持つ力を受け入れ、肯定することである
（「ありのままで」と歌い（日本語版）、魔力をふんだんに使うエルサが描かれる）。どんな男とも
関係を持たず、王子様との異性愛ではなく、姉妹のあいだの愛が描かれる。

これまでのディズニー・プリンセスは、魔女に助けられ、王子に見初められるという、受け身的な存在であった。そのような定式を覆し、この作品では、姉妹の絆とそれぞれの自己の確立が描かれている。

　斎藤美奈子(2001)が挙げるように、ディズニーのシンデレラや白雪姫に代表される婚姻譚では、結婚する異性以外との人間関係が描かれることもなく、一人で動物と遊んでいた。『美少女戦士セーラームーン』のようにヒロインが戦うようになっても、魔法などの「シンデレラ文化」の伝統に根ざしていた。これに対し、「男の子」が国や地球のために戦う「桃太郎」、「ウルトラマン」、「宇宙戦艦ヤマト」などでは、科学や当時の技術、戦力を駆使して組織的に戦う姿が描かれる。その後、宮崎アニメなど、テーマが多様化するようになったという。

　物語に共感し、登場人物に自身を委ねることができるかどうかは、享受者である私たちの価値観と大きく関わる。物語の内容は、享受者から離れた、静止した内容ではなく、享受者からの問い直しによって新たな意味が構築され、更新されるのである。そう考えると、物語の意味は時代や世相、享受者に応じて相対的に決まってくることになる。さらに、商業ベースにあるドラマや映画では、その時代の価値観を見越して制作していることだろう。その意味では、物語と享受者との間で、その都度生じる対話が物語の構造に影響を与えているのかもしれない。

第 **III** 部

物語をとおして「わたし」を知る

第13章

雑談と「もの」語り

　私たちは過去に起こった出来事や体験談を相手に語って聞かせることがある。このような語りは即興的であるので、技巧を凝らした創作作品としての物語とはかなり違ったものと思うかもしれない。しかし、私たちは即興的に語るときにも、聞き手を引きつけようとして、工夫を凝らしている。話し手は聞き手に、共に驚いたり、笑ってもらったりすることを期待している(もちろん、語りの中には、報告的に、ただ起こったことをそのまま伝えようとするものもある)。

　このような話し手と聞き手の駆け引きが、会話内でどう実現されているかは、会話分析と呼ばれるアプローチによって分析が行われている。

　本章では、雑談内で生じた語りの分析をもとに、微妙な間合いや相手との発話の重複などを丁寧に記述する会話分析というアプローチを紹介する。

1. 真実と虚構

　物語作品と日常場面での語りを区別する考え(例えば土田・神郡・伊藤 1996: 9-96)では、我々の文化内に暗黙のうちに成立している、虚構という一種の文学的文化的慣習についての研究を虚構契約の研究と呼ぶことができると述べている。虚構の場合には、「むかしむかし〜」などの開始から、語りの締めくくり(coda) など、境界部分に語りの枠付け(フレーム)が見られ、語りは、日常の話し合いとは区別される。社会的に期待されるルール(正直であれ)を遵守しつつ、虚構であることが責められないという語りの世界の安全性が確保されている。物語や神話は、虚構の世界のものとして扱われている限り、物語が嘘

をついているとか、虚偽の記述を行っているとして責められることはない。

　一方、過去に起こった出来事や体験談を会話内で相手に語って聞かせる語りでは、真実性が問われる。このため、物語と、日常会話における語りとは、かなり性質の異なるものとして扱われる。

　しかし、過去に起こった出来事や体験談を相手に語って聞かせるとき、当時の様子を誇張して再現することがある。このとき、演技としての語りの方向へ傾いている。坂部恵は「「かたる」ことは「ふり」を「まう」ことにほかならない（坂部 1990: 35-51）」という。「ふり」は演技や創作に近いものである。

　なぜ人間は語られた嘘を、嘘と知りながら喜び聴くのか。柳田國男 (1943)は、嘘を吐いても罪にならぬ土俵場としての九州での「げな話」、遠くは今昔物語の「……となむ語り伝へたるとや」という信じられないような説話の起源を、物語の成立の契機の1つとして捉える。折口信夫 (1935) でいえば、「をう」と相槌を打つ代わりに「いな」と答えながら受容する物語、嘘だと信じながら娯しみ聴く物語である。これらは吉本隆明 (1990) がいうように、表出者の鬱屈した現実を物語り、言語の仮構性のうえに吐き出すことを可能にする。

　人類学者の菅原和孝 (1996: 112-113) は、アフリカのブッシュマンへの独自のフィールドワークから語りを収集し、直接話法による発言の引用が、「ふり」すなわち演技性と密接に関わっていることを指摘している。同じ内容を何度も語るときの語りは、情報の伝達として見るならば、既知のことを言っているだけで情報価値のないものとなってしまう。菅原は「はなし」と「かたり」を区別する。「言語行為が「はなし」のレベルにとどまっている時、そんなことを繰り返す必要はどこにもない。現実の緊張状態から身をもぎはなし、出来事を演技的に再現し「ふりを舞う」ことへの本源的な志向性があってはじめて、すでによく知っていることが何度でも「かたる」に値することになるのである。(同115)」と述べている。

　何度でも語って聞かせられる話は、語りの内容に演技的、技巧的要素を含み、物語作品と断絶したものではない。これらは明確な境界線が引けるものではなく、どちらか一方の中に他方の顔が見え隠れするようなものである。ノンフィクション作品であっても脚色を含み、逆に、フィクションであって

も、現実の観察を下敷きにしている箇所はいくつもある。

バウマン (Bauman 1986: 11-32) によれば、真実と嘘は、明確な境界を有するものではない。あからさまな真実と嘘のあいだには、真実の拡張、誇張が存在する。バウマンはテキサス州カントン (Canton) における犬の売り買いの会話を調査し、そこで男たちが交わす犬の血統、品質、登録、狩りの思い出などの語りに、ことばの芸術 (バーバル・アート) を見ている。語りは、語り手の能力を示すものであり、真実と演じることのあいだ、真実と嘘のあいだを複雑に織りまぜながら、演じられ、語られる。聞き手は、語りに魅了され、あるいは疑惑の可能性の中で、語りを捉えるのである。語りは、語り手の個人的社会的イメージを構築するための手段として用いられている。

同様の指摘は、井出里咲子ら (2019: 121-123) によっても示されている。会話の中で語り手の技巧が試されるとき、発話がその場にいる話し手と聞き手だけでなく、「もらい聞き」をしている人に向けてバーバル・アートとしてのパフォーマンスになっている。

経験による物語と虚構の物語は排他的なものではない。経験の物語にもパフォーマンス的要素は見られ、虚構の物語にも真実性がある。ブルーナー (Bruner 1990: 75) は、物語にとって、その言及するものが虚構であるか、経験的事実であるかということはさして重要でない。フィクションは想像による迫真性を得るために、しばしば現実のレトリックで身を装うことがある、と述べている。

2. 語りの構成要素——ラボフによるナラティブ研究

ラボフら (Labov and Walentzky 1967, Labov 1972) は、インタビュー調査によって体験談を収集し、経験した詳細は様々であっても、人々によって語られた体験談には、話の概要や方向付けをはじめとする、(83) にあるような要素を含むことを示した。

(83) Labov (1972) による語りの要素
　　①話の概要 (Abstract)

②方向付け（Orientation）

③行為の詳細化（Complicating action）

④評価（Evaluation）

⑤結末（Resolution）

⑥締めくくり（Coda）

①は話の概要を示すもので、「びっくりしたことがあって」と言って昨日体験したことを語り始めれば、その話は驚く話ということになる。このように全体の話を1、2節でまとめて物語を始めることはよくある。

②は登場人物や場所・時間などを表すものである。誰がいつ、何をどこでなどの情報である。「昨日、上野で店長が」と言えば、時、場所、人物が特定されたことになる。導入部分が状況の詳細な描写で始められることがある。例えば、「黒いマントを着た変な男が」などと登場人物の風貌について語ることがある。

③は何が起こったのかを述べる部分である。主要な出来事について、行為が述べられる。

④は評価で、話者の感情や「話をする」という行為自体の意味付けをする。評価は、物語の存在の理由を示すものである。

⑤は結末で、結局何が起きたのかを述べる部分である。

⑥は話の締めくくりである。語りを終わらせ、通常の会話に語り手と聞き手を戻すことができる。

これらの要素がすべて語りに含まれるわけではないし、順番もこの通りとは限らない。多くの体験談を集めた結果、これらの要素を含んでいることが多いということである。

ラボフ（Labov 1972）では、上記のような構造はよく整った語りに現れるものを単純な形式で示したもので、実際の談話は行為の詳細化の部分だけだったり、逆にもっと複雑に入り組んだり埋め込まれたりしたものだったりして、多様な語りがあることが示されている。

ラボフらは、1967年の論文の冒頭で、普通の人々による元来の語りを分析することの重要性を述べている。語りの基本的な構造を見出すには、熟練

者によって何度も語られたような語りや、長く確立した文学作品では、元の基本構造は拭い去られてしまう。文学や神話、伝説、サガなどの確立した作品を理解するためにも、単純で基礎的な語りの構造を分析し、語りの元来の機能を分析することが不可欠であると述べている。ラボフらの初期の研究がプロップ (Propp 1928) による昔話の構造の研究を引用し、技巧的な文学作品との構造の対比から位置づけるという、広い視野を持つものであったことを指摘したい。

3. 会話分析の重要性

　文学以外の言語、日常の場面における語りの研究には、2つの流れがある。

　1つは、語りの共通性に着目したラボフの流れを引くものである。もう1つは、会話分析 (Conversation Analysis: CA) における語りの研究である。

　シェグロフ (Schegloff 1997) は、ラボフら (Labov and Walentzky 1967) の論文が、30年後においてもその影響を強く残していることが衝撃的であると指摘している。ホルムズ (Holmes 1997: 91) によれば、ラボフが示したナラティブの構造は、ナラティブ研究の何を始めるにも出発点となっているという。どのように研究を発展させようとしても、まず、ラボフが確立したナラティブ構造に戻り、そこから出発するしかないというのである。

　このように長い間影響を与えるラボフの論であるが、会話を相互作用と捉えると、問題が残る。ラボフの研究では、語り手と聞き手 (インタビューアー) という役割関係が固定した語りであるからである。雑談の中で、会話参加者が体験やエピソードを挿入する場合には、語り手は勝手に一定の長さの語りを話し始めるのではなく、語ることを会話参加者に承認してもらいながら話している。このような語り手と聞き手の相互作用はラボフの研究では扱うことができない。そこで、第4節では、会話分析の基本概念としてターン構成単位について扱う (会話分析をご存じの方は第4節を読み飛ばしてかまわない)。

4. 会話分析の基本概念

会話分析は、社会学の分野において1960年代にサックス (Harvey Sacks) とシェグロフ (Emanuel A. Schegloff) の協同で創案された学問分野である。会話分析はエスノメソドロジーを背景に成立したが、エスノメソドロジー、Ethno-method-ologyとは「人々の－方法についての－学問」であり、民族誌学と訳される。そこでは、既成の社会学の概念を見直し、概念を成立させている人々の認識や日常の行為を分析する。

串田・好井 (2010) が述べるように、エスノメソドロジーでは、場面とそれを構成するさまざまな要素、もの、体の動き、発話などが相互に、互いを照らし合う性質が利用される。

会話分析の特徴は、会話で用いられることばの一般的性質ではなく、その会話内でそのことばが果たす役割を研究対象としていることにある。会話を詳細に転写したデータから、会話における相互行為を分析するという手法を確立している。

例えば、ことばを用いたやり取りの場面において、1つ1つの発言の意味は、やり取りがいつどこで誰と誰の間でなされており、発言はやり取りのどの時点でなされているのかに照らし出される。「最近はいかがですか？」という発話は、異なる場面、例えば「念願の子猫を買ったばかりの人に毎日の生活を問う」場面、あるいは「借金の返済を促す」場面など、発言とそれが発せられる場面との間の互いに照らし合う性質がいつも利用されている。

会話を分析する時点では、分析者は会話の現場に居合わせているわけではない。会話のやりとりを時系列ごとに提示し、ある発話を会話参加者がどう捉えていたかは、その発話への反応としての発話 (次発話) や反応を分析することによってわかると考えるのである。ある発話の意味を分析者が考えて解釈するのではなく、その場での会話のやりとりを証拠として示していく。

4.1 ターン構成単位

次は話者AとBが夕立について話している。

（84）

01B：最近 (.) でもさっきもですけど雷が鳴って夕立が＝

02A：＝そうそうそう

03B：なんなんだろゲリラ豪雨なのかな (.) さい最近のことばで言うと＝

04A：＝夕立？

05B：解らないですけど

06A：うん仙台は (.) 夕立

07B：仙台夕立

08A：毎日だよね

09B：ほんとですよね.天気いいんなってんのに.

10A：でも (.) 夕立あるおかげで夜涼しいやん.

11B：まあそれはありますよね (.) 気温が下がるので (.) 洗濯もの干す：
のが大変になっちゃう 🔊音声

　01～11の各発話を見ると、抽象的、理論的に整った文ではなく、語や節を含め、さまざまな文法単位が使われている。にもかかわらず、話者は順次、話し手と聞き手という役割を交替しながら会話は進行する。ある一人の話者が話し始めてから話し終わり、次の話者へ交替するまでをターン構成単位 (turn constructional unit、以下TCU) という。例では、01～11のそれぞれの発話が相当する。ターンとは順番であり、話し手と聞き手の役割が順番に入れ替わる話者交替の重要概念である。例えば将棋の対局では交互に順番が回ってくる。会話も基本的には同時に複数が話すのではなく、基本的に一時期に一人の話者が話す。重複して話したとしてもそれは短い範囲である。会話参加者は順番を守っているわけである。話者が交替するまで話し手の発話が続くわけであるが、話者が順番を得てから次の話者に順番が交替するまでの発話がターン構成単位である。

　TCUは、話者交替が起こったという結果から導き出した単位であるから、語、節、文など、さまざまな文法単位によって構成されている。日本語では、むしろ完結していない文法単位 (「～けど」、「～のに」などの接続助詞で終わる中途終了文など) を用いることが、相手と意見を分断せず和を尊ぶという相互作用

に役立っているのかもしれない。

　会話分析の重要な概念であるターン交替について、サックスら (Sacks, Schegloff, and Jefferson 1974) は、その基本的規則を示した。この論文は、アメリカ言語学会 (LSA：Linguistic Society of America) の『Language』誌に掲載された論文中、最も多く引用された論文であるとされる[20]（ちなみにLSAの20位までのリスト中、本書で取り上げた文献として Gundel, Hedberg, & Zacharski (1993)、Kay & McDaniel (1978)、Hopper & Thompson (1980) がある）。

　基本概念として、ターン構成単位 (turn constructional unit (TCU))、話者移行適格場所 (transition relevance place (TRP))、ターン割り当てのテクニック (turn allocation techniques) がある。

ターン構成単位：Turn constructional unit (TCU)

　会話のターンを構成する単位のことである。文、節、句、単語などの単位からなる。話し手は話し出すとともにこの単位を用い、少なくとも1つの単位が完結するまで話す権限を持つ。この単位の終わりにはTRP：話者移行適格場所 transition relevance place がある。

話者移行適格場所：Transition relevance place (TRP)

　話者移行適格場所はTCU末にある。ある発話が終わり、話者が交替しうる時点のことを指す。つまり1つのTCUが終わりうる時点のことである。沈黙、文法的単位の終了、イントネーションの下降は、発話の終了、話者が交替するタイミングのサインになりうる。

ターン割り当てのテクニック：Turn allocation techniques

　話者が交替するときに、誰が次の話し手になるのかという、その話者の割り当てに関するものである。話者が3人以上になると発言権の割り当ては複雑になる。これには3つの可能性があるといわれている。

　今の話し手の発言が終わるとき、次に誰が話し手となるか？
（1）　今の話し手の発言が終わってもよい場所にきたときに

（1a）　そこまでにもし今の話し手が次の話し手を指定（名前を呼んだり、質問を向けたり）していれば、その指定された人が次の話し手となる権利と義務を持つ。「現話者による次話者選択テクニック」

（1b）　もし今の話し手が次の話し手を指定していなければ、聞き手のうち最初に話し始めた人が、次の話し手となる権利と義務を持つ。「次話者による自己選択テクニック」

（1c）　そして（1a）と（1b）のどちらも起きなければ、今の話し手はさらに話し続けてもよい（話し続けるなら、順番の交替は起こらない）。

（2）　（1c）によって今の話し手が話し続けたときは、再度その話し手の発言が終わってもよい場所が来たときに、（1a）〜（1c）の手続きが繰り返される。

　現話者による次話者選択テクニックと次話者による自己選択テクニックがあり、もしこれらが生じなければ今の話し手がさらに話し続けてもよいことになる。

4.2　会話転写に用いる記号

　会話分析は実際の会話を録音・録画し、詳細に転写したものをデータとして用いる。音声上でのやりとりである現実の会話を、紙面上にどう再現するか、転写の方式が工夫されてきた。

　会話を観察する際、それぞれの話者が「何を言ったか」を知るだけならば、簡易な書き方で十分かもしれない。しかし、実際の会話では、いつ話し始めるか、共感の笑い、相づちなどが、会話のやりとりの中で、どのようなタイミングで生起するかということが重要になってくる。例えば、何かを聞かれて、答えにくいことへの微妙な間が、ほんの1秒あっただけで、何か裏があると感じることもあるだろう。会話者がどのようにことばや間合いを駆使しているのかは、詳細な転写データによって調べる必要がある。

　以下に、会話分析で多く用いられている転写記号を示す。

　転写記号：主な転写記号は次の通りである。Jefferson（2004）として整理さ

れた。

連鎖
[	（複数の話し手の発話の）重なりの始まり
]	（複数の話し手の発話の）重なりの終わり
[[	2人の話し手が同時に話し始める
=	発話が途切れなく密着していること

間合い
(1.2)	音声が途切れている時間（括弧内の数字は秒数）
(.)	0.2秒に満たない短い間合い

発話の表出上の特徴
::	音が引き延ばされている（数が多いほど長く引き延ばされている）
–	ことばが途中で途切れた
.	語尾が下がって区切りがついたこと
,	イントネーションが続いていること
?	語尾の音が上がっていること
h	呼気音
h.	吸気音
語h語	語の中に呼気が含まれる
下線	音の強さは下線によって示される
°°	音が小さい
＞＜	発話のスピードが目立って速くなる部分
＜＞	発話のスピードが目立って遅くなる部分
(( ))	その他の注記

　どのくらい精密に記号を入れるかは研究目的によっているが、発話がどの位置で開始されたか、重複の記号 [、[[は重要な情報である。

5. 語りの達成は共働作業である

　複数の人が参加する会話では、話す人は通常、交替する。会話の参加者は同じくらいの発話量のこともあれば、話題や人間関係によってどちらか

の話し手に偏ることもある。一方、「語り」が語られる間では、通常の話者交替は保留される。語り手が語り始めてから語り終わるまで、語りの受け手は、相づちや驚きを挟みつつ、語るスペースの確保を語り手と共同で支えている。こう考えると、雑談内の語りは一方的に開始され、語られるのではなく、語り手と聞き手とが共働で構築するものである。

語りが盛り上がる（あるいは盛り上がらない）過程で、どのようなやりとりが行われるかを知るには、詳細な会話の観察が求められる。ラボフのように「できあがった」語りの構成要素の存在を示すだけではなく、語りがどのように達成されるかが示されなければならない。

断片（85）は、2011年に発生した東日本大震災に関する、大学生の友人同士の会話である。日常生活に関する笑いを含んだ、1時間ほどの雑談の中で、仙台で経験した震災のエピソードが語られる（震災の甚大さから倫理面について言及しておくと、このデータの会話者は仙台市内で被災したものの、幸い怪我等にはならず、共通の体験が終始笑いを伴って話されていた）。

この語りは、01から05の発話において話者Bが「先輩の家のテレビが地震で落ちて壊れた話」を語っている。

(85)

```
01   B：＞だいじょぶだいじょぶ (.) ＜でもなんか (.) ＜先輩の家とか：＞
02   A：うん．((コップに手を差しのばす))
03   B：テレビが落ち－落っこっちゃって．
04   A：°うわ：[えやば°((ささやき声に近い))
05→B：      [なんか (.) 左三分の一が真っ暗になっちゃってて：そう (.)
       それでなんか (.) 占い何位か分かんない [とかhh言って] hh
06   A：                          [hhhhhhhhhhhh] ＞いやいや
       ＜もっと悩むとこあるでしょhhh
07   B：も：もっとひどいのは：(.) その知り合いで：
       ＜買い換えた＞日に地震で：
08   A：え：：
09   B：あの地デジにしたのね．
```
（甲田2015a） 🔊音声

転写で＞＜は囲まれた部分の話速が速いことを、＜＞は遅いことを示している。

このやりとりで、主に話しているのはBである。語り手がまとまった話を語る場合などでは、聞き手が相づち、あるいは、受領の短いことばに留める場合がある。このような場合、主に多く話す話者は偏っているので、この状況を語り手Bがフロア (floor) を取っていると考える (Edelsky 1981: 207)。

通常の順番取りシステムと異なり、話者が一定の話を語り始め、それを聞き手が承認すると、語るスペースができる。語り手がフロアを維持している間、通常の話者交替は一時的に保留されるのである。相づちも発話であるが、実質的内容を持った発話とは異なる。相づちは実質的発話に重複して発せられることもあるが、これは、相づちは実質的発話とは異なり、発話が重複しても差し障りがないものと会話参加者が捉えていると考えられる。このため、相づちはバックチャンネル (back channel) とも呼ばれる。

ところで述語の形を見ると、「03落っこっちゃって〜05真っ暗になっちゃってて〜とか言って」と終止形を持たずに節が複数連鎖しているのも日本語の特徴である。これは節連鎖と呼ばれ、ニューギニア言語、チベット・ビルマ言語などでよく観察され、典型的には途中の節が「て形」や「たら形」でつながり、最後の節が終止形またはほかの「言い切りの形」で終わる (岩崎・大野 2007: 140-141) とされる。文を終わらせるか、終わらせず続けていくかの決断と明示が、それぞれの節の一番最後になされるという。

チェイフ (Chafe 1982) によれば、発話には意味とポーズの区切れからなる音調単位 (イントネーション・ユニット) があり、英語では動詞を含む節によって構成されることが多いという。日本語、中国語は語句を省略することがあるが、英語は語順によって文法関係を表すために、動詞省略が容認されないためである。一方日本語では、全イントネーション単位の67.4%が述部を含まない句からなる単位であったとクランシー (Clancy 1982) は報告している。日本語、中国語では、動詞を含む節単位はイントネーション単位に寄与せず、1つの節をより小さな単位に断片化する傾向が強い。

日本語では「〜とか」「〜って」「〜なんか」など様々な助詞を用いて、独立したイントネーション・ユニットで話題を導入することが多々ある。ま

た、メイナード (1993) が述べるように、口語体の日本語においては、1つの節がいくつかの独立したイントネーション単位に分割されて伝達されることが多い。「あのね、私ね、学校のね、校庭でね」などと終助詞「ね」「よ」などが付加して細切れになる。日本語会話の断片化は、命題のコミュニケーションという点に関する限り、明らかに非能率的であり、複数のイントネーション単位を用いての情報伝達は、1つの単位における伝達よりもより時間を要する。日本語の話者は、1つのイントネーション単位の中に話し手・聞き手の相互作用関連の情報 (例えば、ね／よなどの助詞) を盛り込むが、一方、英語の話者は1単位内に主語及び述部が表現された節の形式の中に命題的内容を伝達することに集中可能である、とされる。

6. クライマックスと語りの達成

自分が何かの話をして、「え、それで？」「だから何なの？」という反応をされたことはないだろうか。ラボフ (Labov 1972) は、語りの最も重要な要素は、評価部分であると指摘している。語りが「一体何の話だったのか」という語りの価値を示す評価や動機付けは語りの重要な要素だと述べられている。

このことについてラボフは、語りは単なる事実の報告ではなく、その意味するところ、顕著さを伝えるものであると述べている (Labov and Waletzky 1967, Labov 1972)。このため、クライマックスが話のどこであり、そのクライマックスを聞き手がどう受け止めるかは語りの達成にとって重要な意味を持つことになる。クライマックスは語りの展開における頂点であるので、クライマックスを迎えると語りは終結を予期させることになる。語ることは単なる情報伝達ではなく、語る内容の価値や意義を伝え、共有することであるため、クライマックスを迎えると語りの最重要部分が提示されたことになり、終結を予期させることになるのである。

(85) では、「それでなんか (.) 占い何位か分かんない ［とかhh言って］hh」の後に、語り部分の受け手の実質的発話 (相手の話のオチへのツッコミ) が位置していた。当時の発話を引用した部分が当時の状況を再現し、これが聞き手の笑

いを呼び、クライマックスを迎えたのだと考えられる。

　筆者は以前、雑談中に自発的に生じた体験談208例を認定し、調査したことがある (甲田 2015a)。多くの体験談には「〜と思って」「〜って言って」と、体験した当時の発言や思考の引用表現がクライマックス部分に用いられていた。思考・発話動詞60例に、引用的情態修飾 (疑似引用)「っていう」「みたいな」で終結する場合28例を加えると、88例で、全体の42％を占める。

　自発的に生じた体験談では、自身の体験を聞き手と共有すべく、当時の状況を直接的に再現するために引用表現 (「〜と／って」のように発話や思考などを取り込む表現) が多用されていた。引用表現は、思考・発話を説明や解釈で包むことなしに、直接示すことができるため、受け手は語り手の体験をあたかも直接的、一次的に得たかのような気持ちになるのである。

　なぜ人は「わざわざ」語るのだろうか。語りは、話のかたまり (block of talk) などではない (Jefferson 1978: 245)。

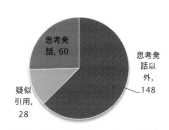

図61　語りのクライマックスで用いられる思考・発話および疑似引用：全208例中の42％を占める (甲田 2015a)

語りは単なる情報伝達などではなく、語り手にとって何がどのように重要かを聞き手と共有するものである。語りの中に活き活きとした感情や発話が現れるのは、一般的で汎用性の高い語を用いるよりも、語られた場面の臨場性を持った語が好まれるからである。

　以上見てきたような雑談内における語りの会話分析は、インタビューアーの役割が固定した、非対称的会話ではないため、日常のやりとりの中にいくつものエピソードを埋め込む過程 (Umiker-Sebeok 1977) や受け手の反応の仕方 (Stivers 2008) を観察することができる。

　以上、会話分析の基本概念を紹介し、雑談内で生じた語りを見てきた。聞き手を巻き込んで魅力的に語ることは、雑談内での語りでも生じており、真実と虚構の間は、装飾、誇張を介して連続していることを見た。

第**14**章

自己を語る、ケアの物語

　自らの体験や人生を語るとき、その物語には、語る人の自己、人間性、価値観が込められている。語られる内容は、事実と違っていたり、語り手の多分な解釈、曲解によって構成されたりすることもある。しかし、その物語には紛れもなく語り手自身の世界の捉え方が反映している。

　語り手が語る物語には、語り手によって構成され、組織化された世界観が詰まっている。このような語りを、カウンセリングや医療、教育等の実践場面に活かす試みが行われている。

　本章ではナラティブ・アプローチと呼ばれる社会的実践について、カウンセリング場面を中心に紹介する。そして社会構成主義と呼ばれるアプローチと語用論における意味の捉え方について扱う。

　語りをこのように捉える根底には、意味は語り手から独立したものではなく、語り手の理解が反映したものとする言語観がある。この言語観は語用論と呼ばれる言語学の一分野とも通じるものである。

1.　自己物語とアイデンティティ

　私はどんな人物か、どんな考え方をする人なのか、どんな風に社会を捉え、その中で生きてきたのか。自己は、自分を巡る物語の中ではじめて捉えることができる。物語を強調する姿勢は、野口裕二 (2002: 37) の「自己とはセルフ・ナラティヴである」という考え方に現れている。野口 (2002: 38) は次のように説明する。

自分の様々な属性、例えば、年齢や性別、出身地、学歴などをいくら列挙しても十分な答えにはならない。また、自分の様々な能力、例えば、スポーツが得意だとかカラオケが得意だとかをいくら挙げてみても十分ではない。それは確かに自分の重要な側面には違いないが、あくまで側面にしか過ぎない。私のもっとも私らしい部分を語ろうとする時、それは、自分が生まれてから今までどのように生きてきたのかという「自己物語」の形式を取らざるを得なくなるはずである。自分は今まで、何に苦しみ、何に喜んできたのか。何に傷つき、何に感動してきたのか。そうした自分にとってのかけがえのない経験を綴った1つの物語、それこそが、他ならぬ私らしさを構成する最も重要な要素となるはずである。

　ガーゲン (Gergen 1994: 257) は、自己物語はアイデンティティを形成する手段であると述べている。人が自分の歴史をどのように語り、何を強調し、何を省略するのか、立場は主人公なのか犠牲者なのか、そして、その物語は語り手と聞き手の間にどのような関係を生み出すのか。これらはすべてその個人が、まさに自分自身の人生と主張するものを形成するのだから、自己物語はアイデンティティを形成するのである。

2. 世界の理解にも物語が作用する

　私たちは、自分の人生を物語として語り、自己を理解可能にしているだけでなく、物語をとおして、現実を理解している。

　野口 (2002: 22) は、「物語は現実を組織化する」と述べた。私たちの常識では到底理解できないような悲惨な事件がある時、私たちは動機ということばで説明する。そして怨恨、金目当て、男女関係のもつれ、等の動機で説明がつかないような時、私たちは犯人の人生物語を知りたがっている。人生物語とは、その人物の背景であり、生きてきた経験の束である。一連の事件を理解し、他者を理解するために、その背景となる情報や経験の束が紡ぎ合わされたとき、理解できたと感じる。

　ガーゲン (Gergen 1994, 1999, 2009) は、自己や他者、そして社会の現実のあり方も社会での物語の紡ぎ方によって構成されていると考えた。これを社会構成

主義といい、私たちが「現実だ」と思っていることは、社会的に構成されたものと考えるのである。

　マリファナ吸引に関する有名なベッカー (Becker 1963) による研究がある (Gergen 2009: 160)。マリファナを吸うことによって生じる苦みや咳、めまい、方向感覚の喪失は、マリファナを吸う仲間によって、快楽の経験へと再構成される。ベッカーはその過程を描き、「ハイになる」快楽は、社会的に身につけるものであって、牡蠣やドライマティーニの味がわかることと変わりはないと述べている。匂いの経験 (悪臭か芳香か) やコーヒーの苦み、茶などの嗜好品の好みは人類共通の感覚、味覚などではなく、社会的文脈のなかで協働的に獲得されるものである。

　主体と離れた客観的な事実に意味づけがある (本質主義) のではなくて、主体の経験のなかに、もっといえば、仲間や社会との対話のなかに意味がある。感覚だけではなく社会的通念や倫理観など、文化やある特定の集団に特有のものは多くある。これらの概念や捉え方は他者とのやりとりや会話をとおして協働的に創造される。現実とは創られるのであり、見つけられるのではない。

3.　臨床場面へのナラティブ・アプローチ

　ガーゲンらの考えによれば、自己とは固定したものではなく、語ることによって創り出されていくものである。自己が語られた物語であるとするなら、語る視点を変えれば、別の自己が立ち現れる。語りをとおして創造されるので、革新の可能性が拓けることになる。自己物語という視点から自己を捉え直す方法に、ナラティブ・アプローチがあり、臨床や医療、教育場面などで実践されている。

　同じ経験が捉え方によって変容することがある。例えば、野口 (2002: 41) が挙げるアルコール依存症者の物語では、職場での人間関係がうまくいかなくて、ついつい酒に走って、そのうち、勤務中も隠れて酒を飲むようになり、遅刻や欠勤も増えて、結局、会社をクビになり、その後も酒浸りの日々が続き、深夜に泥酔して暴れているところを警察に保護されて、ついに入院して

いるどうしようもない人間です、という物語が語られたとする。その時、その人の自己は、まさにそのような悲惨な人生を送ってきた自己としてそこに存在していることになる。

しかし、その数年後に同じ人から次のような物語が語られたとする。私は何度も入退院を繰り返しても、酒を止められなかったけれど、ある時、セルフヘルプグループに通うようになってから、不思議なことに、酒を飲まないでいられるようになった。いつまた飲んでしまうかはわからないけれど、とりあえず1日1日がんばっている。

このような物語が語られるとき、現在はその物語の結末としてある。現在から見て過去の出来事を組織化するように物語は作用する。これを野口(2002: 44)は現実組織化作用と呼ぶ。現在を説明するような形で、過去が配列される。

ブルーナー(Bruner 1990: 154)は人間の性質について次のように述べる。人間は反省性を持っている、つまり過去を振り返り、過去に照らして現在を変えるか、または現在に照らして過去を変える能力を我々は持っている。過去も現在も、この反省性の前には固定したままではいられないのである。

こう考えると、過去は再び組織することができる。同じアルコール依存の状態であっても、現実を肯定することで問題は解消されはじめる。

物語として現在から過去を組織化する際に、私たちは経験の全てを物語に取り込むのではなく取捨選択して取り込んでいる。選び出された出来事は図として目立ち、選ばれなかった出来事は地として背景化される。過去の経験の取捨選択の仕方を方向付ける、支配的な物語をドミナント・ストーリーという。ドミナント・ストーリーに問題を抱えていれば、他の経験は問題のあるドミナント・ストーリーの再生産になってしまう。例えば、母に愛されなかった経験が「人から愛されない経験」として染みついてしまうと、他の経験が「愛されない自分の物語」を中心として構成されてしまう。これはホワイトら(White and Epston 1990)、野口(2002: 126–127)のいう「問題の染みこんだストーリー」を生きることになってしまう。「問題の染みこんだストーリー」をただ再生産しているだけならば、物語をケアに活用し、新たな視点の再構築を目指すナラティブ・アプローチと似て非なるものということになる。

ナラティブ・アプローチでは、過去の経験は現在の物語を構成する1つの素材に過ぎず、物語が変わればその素材の意味も変わると考える。(野口2002: 155)。だから、問題の染みこんだストーリーから脱出する可能性が拓けてくるのである。どんなに影響力のあるドミナント・ストーリーでも、別の視点から組み替え、変容する可能性がある。

　ガーゲン (Gergen 1994: 320–321) によれば、セラピスト主導のセラピーでは、クライアントはセラピストに比べて自分が無知で、感受性に欠け、感情的で現実を理解する能力がないことを間接的に教えられる。対照的にセラピストは、博識かつ高名であり、クライアントがモデルとすべき存在であると位置づけられる。こうした状況は、セラピストが上位にあり、しかも 無謬であるとされることによって、一層憂慮すべきものとなっている。すなわち、セラピストの説明の根拠が不安定であることを知らせる場面はほぼ無いし、セラピストの個人的な問題、欠点、失敗が明らかにされる場面もほとんどない。

　カウンセリング場面における2つの固定化にガーゲンは警鐘を鳴らしている。1つは、制度上、力を持つセラピストと弱者としてのクライアントという役割の固定化、もう1つは、クライアントの語りを問題の染みこんだ物語として固定化することである。これらの問題を打破するものとして、ナラティブ・アプローチが注目されている。

4.　ブルーナーによる物語的思考の強調

　ブルーナー (Bruner 1996: 52) は、物語の重要性を説き、他の科学との比較をしている。

　人間が、世界についての自分たちの知識を体制化し、管理し、実際に現前の経験をも構造化するやり方には、2つの方法があるという。1つは、物理的なモノを扱うやり方として特殊化されている論理－科学的思考で、もう1つは人々とその境遇を扱うやり方である物語的思考である。

　論理－科学的思考は実証主義であり、一方の物語的思考は、実証することができない。普遍の真理を求めるのではなく、相対的真理に基づくからであ

る。物語では、それぞれの価値を取り込むことができるが、真偽を確かめることはできない。むしろ、個人にとっての物語の価値や手応えを重視する。かつては、あるいは今も、実証主義が重んじられ、証明すること、普遍の真理である科学的思考が重要視される。これに対し、物語は、何も説明せず、ただ心を豊かにするだけのものとされてきた。ほとんどの学校は物語をドラマ、歌、小説、演劇等の形で、生きることの必需品としてよりも、装飾的な、余暇を彩るものとして扱っている。にも関わらず、我々は自分たちの文化の起源と最も大切な自分たちの信念の説明を物語形式でもって枠付ける。

ブルーナー (Bruner 1990: 89) は、言語研究について、もっぱら抽象的な文を扱うことの限界を示している。形式論理的伝統として、文脈から切り離された文は、あたかも発せられた場所も人も持てないような発話、つまり文自体の力によるしかない、提唱者なきテクストのようであると述べ、人間的な概念を放置せず、コミュニケーションの文脈を復活させる必要性を述べている。

コミュニケーションの文脈を復活させると、科学ではなく解釈に陥ってしまうのでは、という懸念があるかもしれない。ブルーナーは心理学における認知革命とそれ以降の歴史を振り返りつつも、解釈的心理学であっても、それは、原理や方法を持たないとか、実際的な学問ではないということを意味しない、と述べている (Bruner 1990: 166)。

ブルーナー (Bruner 2002) は次のように述べる。巨大爆弾は、実証科学が生み出した死を呼ぶ産物であろうが、しかしそれを行使する衝動は、我々が自分自身に向けて語る物語から生まれたのだった。だから、我々は物語の持つ力をより良く理解する努力が必要である。そして、物語とは本気で取り組むべき仕事である、と強調する。

ブルーナーは世界を理解する方法として、科学的方法だけではなく、自分達の「生」を代表させる物語の形式が現実を構成すると考えた。現実が物語的に構成されるとする見方はガーゲンも同様である。物語ることが現実を把握し、現実を組織化するという関係性への新たなアプローチを切り拓いた。

5. ナラティブ・ターンと支配への問い直し

　イェルガコポロ (Georgakopoulou 2011: 1) によれば、日常言語による、また文学的でないナラティブへの関心は、社会科学分野の幅広い範囲、例えば、社会学、心理学、社会人類学などに及んでおり、ナラティブ・ターンと称される。ナラティブとは、世界を理解するための基礎的な様式 (モード) であり、語り手の社会的アイデンティティに踏み込むための特別な構造、あるいは様式と考えられている。

　臨床場面以外にも、雑談、インタビューでの語りから語り手の自己意識を探る試み (秦かおり・村田和代 (編) 2020) や、「ライフストーリー」という物語としてライフ (生活や人生、生命や生き方) を捉える観点は広く存在する。これらに共通するのは、語りや表現の中に、語り手の根底にある価値観を見ようとすることである。小林多寿子 (編著) (2010) は、これまで出版された自伝や生活史、語りを読み解いている。ことばで表現された主人公の経験をとおして、読者は書物の著者と出会う。自伝や生活史の主人公と読者は、ともにそのときを生きる (た) ひとであり、どちらも固定的な存在ではない。自伝や生活史などをとおして受容者が感触として他者の経験を感じることが重要視される。

　このような考え方は、ナラティブ・アプローチに通じるものであり、先入観や支配的な考えの枠組みにとらわれず、別の解釈や価値観に光を当てるものである。このような姿勢は、教室場面での教師と生徒という立場や、ジェンダー格差と力関係など、支配への問い直しや現行の社会制度の批判に活かされている。

　高田 (2020) が述べるように、多くの制度や価値観は、もともとは、その社会の成員を幸福にするために構築され醸成されてきたものであるが、社会状況が変化すると、その制度や価値観などが人々を苦しめるものとなる場合がある。そのような状況に対して問題を提起するのが批判や批評の意義であるという。1930〜50年代ごろのニュー・クリティシズム (新批評) 以降の批評のあり方として、作品そのもののテクストを中心においたもの、読者の解釈や受容を中心においたもの、作品を受容している社会を中心においたものがあるとされる。

ある作品や状況を、支配的なものと固定せずに、別の観点から読み直す(見直す)重要性がある。

ガーゲン (Gergen 1999: 35) は、マーティン (Martin 1987) の論を示している。自然科学の技術でさえ、決して中立的なものではありえない。科学の教科書で生殖機能について男性と女性は同様には説明されない。女性の月経や更年期がある種の欠陥や不全であると巧妙なやり口で読者に信じ込ませている。文化やその分野の担い手を主流派として、彼らにとって当然とされている論理や現実は、非主流派から見れば別の論理や現実かもしれない。

野口 (2002) は次のように述べる。本質主義は、何かを本質と捉えることで明快な説明を与えることができる反面、その本質から離れて議論を展開できなくなる。一方、構成主義はあらゆる現象を社会的に構成されたものと捉える点で明快さには欠ける面があるが、逆にそれを再構成する可能性に開かれている。あらゆる現象は社会的に構成されている。だとすれば、それを社会的に再構成できるはずである。ナラティブ・アプローチはこの可能性に賭けるものである。

6. ガーゲンの言語観

ガーゲンはことばの意味を固定的なものではなく、真理よりは適切性として捉えた。ガーゲン (Gergen 1999: 38–39) が引用したクノー (Queneau 1981) の文体練習は、それを如実に表している。

クノーは1つの出来事を195もの異なる方法で記述し、真理は社会的慣習に左右されることを実証した。1つの事象がいくつもの文体で書くことができるということは、事象と言語との対応が多様であることを見せつけている。次の例は、いずれも同じ場面を描写したものである。

(A)　1日の中ごろ、長いという以外に、これといった特徴のない首をした1羽のニワトリが、大きな白い甲羅を持つ甲虫の中を泳いでいるイワシの群れに投げ込まれ、突然平和を固守すべきだと熱弁をふるい始めた。その湿っぽく不満げな話しぶりは、むなしく上空へと広がっていった。若鶏は空虚感

に襲われて、自らそこへ落ちて行った。

　同じ日に、寒々とした都会の砂漠の真ん中で、卑しいボーイが持ってきたコップ1杯の屈辱を飲みほしている時、私はそのニワトリを再び見かけた。

（B）　Sバスの車内、ラッシュアワー、26歳ぐらいの一人の男。リボンの代わりに紐を巻き付けた帽子、まるで誰かに引っ張られたかのように長すぎる首。人々がバスから降りる。当の男は隣に立っている一人の男に悩まされている。彼は、誰かがそばを通って行くたびに、自分を押しただろうと言って非難する。攻撃的とも感じられるような、すすり泣くような調子。その男は、空いている席を見つけると、そこに体を投げ出すように座った。

　2時間後、私はサン-ラザール駅前で、彼に再会する。彼は友人と一緒で、その友人は彼に「コートに予備のボタンを付けてもらった方がいい」と話している。友人は、彼がどこにボタンをつけるべき(上着の襟の折り返し部分)か、そして、それがなぜかということを、彼に教えている。

（C）　S線のバスの中。長さ10m、幅3m、高さ6m。出発してから3.6キロの地点、48人の乗客。12時17分、性別男。年齢27歳3か月と8日、身長1m72cm、体重65キロ、周りに60cmの長さのリボンを巻き付けた高さ3.5cmの帽子をかぶっている。一人の人間が、年齢48歳4ヶ月と3日、身長1m 68cm、体重75キロの一人の男に説明を求める。14の単語を用い、発声は5秒間継続、15ミリから20ミリの自発的な移動を促す。その後1m 10cm離れたところに着席。

　57分後、彼は、サン-ラザール駅の入口から10m離れたところにいて、28歳、身長1m 70cm、体重71キロの友人と、30mの距離の歩行。友人は彼に15の単語で、直径3cmのボタンを5cm上に移動するように忠告。

　（A）は抽象的で文学的であり、何かの比喩なのか、解釈に苦しむ。（B）はややわかる部分が増える。（C）は一見科学的にも見えるが、過剰な数値に装飾され、真偽がわからなくなっている。

　ガーゲン (Gergen 1994: 322) によれば、ある言語を客観的に正確である、別の

言語を感覚的である、あるいは不明瞭であるとして区別するものは、言語が世界とどのくらい一致しているかではない。そうではなくて、真理は、好ましいとされる1つのスタイルにすぎない。真理を相対的に捉える考えは、物語ることにも適用される。ガーゲンによれば、語りによる説明は、現実のレプリカなどではなく、現実を構成する装置である。科学的著作がフィクションよりも正確であるとは必ずしもいえない。

いかに真理、客観性、報告の正確さが主張されていても、実は物事を表現する方法の1つを見せられているにすぎず、これらは慣習に基づく真理であり、いってみればある特定のグループの人々によって真理の特権を与えられているだけなのだと述べている。事実は、決して客観的事実ではなく、常に歴史的、文化的条件の下での事実である。その歴史的文化的条件さえ刻々と変化する。

社会構成主義を徹底するならば、意味を生み出す広範な社会過程の中の語りこそが強調される。そのためには意味の文脈相対性を理解すること、意味の不確定性を受容すること、意味の多様性を探求すること、普遍の語りや決定的アイデンティティの不要性を理解することが必要である。

7. 相対的真理と語用論

語用論は、ことばが用いられる際の一切の状況、文脈を包括的に扱う分野である。解釈される意味は状況に依存する、いや、もっと言うと、ことばの意味はヒントくらいの意味でしかないことを語用論は検討してきた。

ことばの意味は指し示す事物によってではなく、他のことばとの関係によって相対的に決定するという語用論の議論は、ガーゲンの主張に通じるものである。

(86) 北海道は菱形だ。

この文が真か偽かは相対的に決定する。地図を書くには不正確でも、おおよその地形の説明としては正しく機能する。

（87）は不要な情報を含み、要領を得ないが、（88）は通常の用いられ方である。

（87）　野菜スープの作り方

　　　　まず立ち上がります。そして台所に行き、鍋を取り出します。鍋を右に置いて水道の蛇口をひねります。水を出し、鍋を蛇口の下に置き、鍋に水を500ml入れます。蛇口をひねり水を止めます。その後コンロに持って行き、鍋を置きます…（長く続き、なかなか本論に到達しない）

（88）　水500mlを鍋に入れ沸騰させる。一口大に切ったにんじん、ジャガイモを入れて5分煮る。

　ことばはある程度、外界を指示し、外界の事物と対応しているが、ことばの使用には、私たちの解釈や必要性、合目的性による意味を抜きにして考えることはできない。ことばの意味の伝達は、記号化（en-code）とその解読（de-code）によって伝達が成り立つコード化モデルではなく、大きくいえば推論モデル（ことばを手がかりに、ある一定の法則（例えばグライスによる会話の含意（Grice 1975）やスパーバーとウィルソン（Sperber and Wilson 1986; 1995）による関連性理論など）に基づいて聞き手への伝達理論として捉える方が現実的である。

　もう少し例を示そう。語用論で取り上げられるように、適切な答え方は、その場の状況を抜きには不可能である。

（89）　Ａ：（バス停で）「今何時かわかりますか？」

　　　　Ｂ：「??はい、私は時間を知っています」

　この場合、Ａの発話は「今何時か知っているなら、時間を教えてください。」という依頼として解釈されることが多いであろう。この返答としては、時間を教えるか、もしわからなければ「すみません、時計を持っていないんです」などと謝るかもしれない。

　意味は言語記号と現実世界の対応によって固定されているのではなく、様々に解釈され、聞き手との対話や社会の中で構成されていく。

こう考えると物語の意味は、受け手が物語に見いだす意味によって変容する。物語は、受け手と分離した静止した内容ではなく、受け手の解釈に照らし合わせて意味を持つのである。このような考えにデリダ (Derrida 2001) の「脱構築」がある。現前にある特権的・中心的に価値づけられているものを静止的な構造と見るのではなく、新たな解釈の対象とみなすものである。このような読解によって、テクストがみずからの中心点を解体していく (ように仕向ける) 作業が脱構築である (Derrida 2001、谷徹・亀井大輔解説)。

意味とは、使用の文脈に照らされて決定するものであり、意味解釈の全てが現在進行形なのである。

8. 社会構成主義の限界と問題点

社会構成主義の見方が実践的分野に及ぼした影響は甚大である。しかし、社会構成主義ではことばの意味は、対話の中で構成されていくと考えるので、ことばと現実との対応が問われない。そのため、固定的な捉え方から自由になるものの、現実との対応関係が不問にされ、客観的あるいは共通する意味を問うことが難しくなる。

鈴木聡志 (2007: 183-188) は、このような社会構成主義の問題点を挙げている。このまま社会構成主義的立場が徹底されると、相対主義へ傾倒してしまう。人間の認識や評価はすべて相対的であるとし、真理の絶対的な妥当性を認めなければ、真実を確かめたり、検証したりすることができないので、どのような捉え方でも許容され、「何でもあり」になってしまう。そうすると、私たちが得ることのできる知識が絶対的なものになることはなく、多様な解釈が乱立し、それぞれの研究の価値を判断する基準がなくなってしまう。相対主義を過度に偏重するのを食い止めなければならない。

物語を使うことに恩恵を受けつつも、構成された物語を極度に相対的に捉えるだけではなく、現実との対応を視野に入れ検討する態度が求められる。

コラム 物語を検証する

　歴史学者ノア・ハラリ (Harari 2018: 302, 394) によれば、ホモ・サピエンスは虚構の物語を操作し、それを信じる能力のおかげで世界を征服したという。彼によれば、神話は石器時代以来ずっと、人間の共同体を団結させるのに役立ってきた。私たちは、非常に多くの見ず知らずの同類と協力できる唯一の哺乳動物であり、それは人間だけが虚構の物語を創作して広め、厖大な数の他者を説得して信じ込ませることができるからである。

　しかし、注意しなければならないのは、ある物語を信じているときは、それにのめり込んでしまい、それ以外の物語は背景化してしまうことである。戦争は、自らの物語を正当化することに気をとられ、他者の物語を否定することによって生じてきた。例えば日本は1940年頃、愛国主義、ナショナリズムの物語に覆われていた。信じる本人にとっては偉大な「真実の」物語でも、他の地域からはどうでもよいことかもしれない。信じる物語の大きさは、身の丈以上でありさえすれば、どんな小さな物語でも信じていけるのである。自分の信じる物語について、検証する観点が必要である。

　物語を読むときや受け取るときもこれと同じことがいえる。鑑賞として読む場合には、虚構としての物語の世界に浸って楽しめばよいが、思想や宗教などは私たちの現実世界に入り込んでくる。その場合、検証する観点を欠くと、その物語から抜け出すことは大変困難なものとなる。洗脳やマインドコントロールがこれに該当する。

　日常での判断は、厳密さよりも直観的に納得できるかが優先される。自分が何かの物語の中に惹き付けられているとき、その中に安住することに慣れ、検証モードが働かないことが多い。ハラリが言うように、私たち人間は虚構と現実を見分けるのが大の苦手である (同394)。そして、ほとんどの物語は、土台の強さではなくむしろ屋根の重みでまとまりを保っている。土台と屋根という比喩は、土台とは論を支える証拠、屋根とは人々に信じられた物語である。物語がよって立つ土台をしっかりと見極める必要がある。例えば、ある宗教の宗祖が全宇宙の創造主と名乗ったとき、それが数千年前に天

の川銀河のどこかで 炭素系の生命体として生まれたという証拠はどこにあるのか？（同364）と述べている。

　真実と虚構の間の微妙なバランスをとり、物語を鑑賞し、吟味するモードと、物語を実証的に検討するモードとの両者が必要である。

　中村元（1991）は講演「ブッダの生涯」において、ブッダが生まれた当時、多くの神話が生み出されたが、これらと考古学的事実とを区別する重要性を述べている。神話は多くの逸話を取り込むことができるが、検証はできない。これに対し考古学は調査と積み重ねの学問だから、確かめることができる。

　物語は要素をまとめて理解する上で役に立ち、生きている瞬間を組織化さえするが、これが現実把握の全てではない。情報源を吟味し、知識によって解体し、常に別の可能性に思いを馳せることが大切である。

第15章

コミュニケーション・ツールとしての物語

　物語（もの「語り」）は人間関係の維持のためのコミュニケーション・ツールとして役立っている。

　本章では、流言、ゴシップ、都市伝説といったうわさを扱う。これらは物語としての一定の詳細とまとまりを持っている。後半では、うわさの拡散、物語の応用、悪用について扱う。

1.　グルーミング（毛繕い）としての物語

　私たちが雑談の中で語りを披露するとき、相手に何か伝えたい、自分の体験を相手と共有したいという意図がある。こう考えるとき語りはコミュニケーション的機能があるといえる。

　マルホランド (Mulholland 1996) は、職場の休憩時間に仲間同士で交わす体験談は連帯感を強めると述べている。簡単な語りを提示することは、自分を気軽に開示でき、社交性を損なうことなく経験を共有することができる。参加者が介入しやすい語りを提示することにより、相互に会話を展開していくことができる。

　体験談の他にも、一定の長さの話が会話に登場することがある。うわさ、流言、ゴシップ、風評などである。これらは、自身が直接体験・見聞したものではない。これらは、情報源の確かさに力点が置かれる場合もあるが、「友達の友達が」、あるいは「どこかで」聞いたといったように、情報源があいまいなまま伝えられ、広まっていく。

話者に直接関与しない話が、なぜ広まり、共有されていくのだろうか。それは、これらの話（うわさ、ゴシップなど）に参加することが強い連帯感につながるからだと考えられる。うわさは人との関係を築く上で役に立ってきた。共有がもたらす相手とのつながりやエンターテインメントの機能も担っている。

　イギリスの人類学者で進化生物学者のロビン・ダンバー（Dunbar 2010）によれば、類人猿にとってのグルーミング（毛繕い）は、人間にとってのゴシップであるという。生き残るために集団のサイズを調整してきた人類にとって社会的な絆は重要なものであり、同盟を維持するためにお互いに関心のある情報を共有してきた。ダンバーによれば、人が安定した関係を構築できる知人の数はだいたい150人くらいであり、これは「ダンバー数」と呼ばれる。ゴシップは集団内で、人々の評判を監視したり、他人の価値観を得たり、お互いの関係を維持するために役立っている。ダンバーの1997年の論文では、人は会話内での多くの時間をゴシップ、すなわち社会的な毛繕いに当てているとされる。

　ゴシップやうわさ話が、人間関係の維持に重要であることは、近年多く出版される雑談のノウハウを書いた書籍（例えば、五百田達成 2019）でも強調されている。時事ネタやニュースを話すより、エピソードや経験談を話す方が雑談には良いとのことである。雑談内での話は論理的に話すことより、第三者の話で相手の様子を観察し、相手の話に同調することが勧められている。

　物語にこのような機能があるのは、物語が、あらすじをたどることなどではなく、受け手の共感を生むものだからである。小山亘（2016）はネビンスら（Nevins and Nevins 2011: 136-147）によるアメリカのアリゾナ東部のアパッチ語の調査を挙げる。ネイティブアメリカンインディアンの伝統的な物語を残そうとするとき、文化センターや博物館で語られるそれは、題材としての文化的知識にとどまる。しかし物語の成功の如何は、語りの出来事の参加者たちが、その出来事をとおして、先祖たちの行為を生き生きと体験できるかどうか、物語自体が聞き手たちにどれほど継続性を持つ効果をもたらしうるかだとしている。こう考えると、物語は聞き手と離れた題材などではなく、聞き手に受容されることによって生命が吹き込まれるのである。物語は生きている。

物語はけっしてあらすじの説明などではない。物語が長い間、語り継がれてきたのは、骨組みをつなぐ動機が理解でき、共感できる笑い、悲しみなどの心の動きを捉えているからだろう。これは坂部 (1990) が紹介する、折口信夫や松谷みよ子や森鷗外に見られるような伝統の語り直しによる再活性化を思い起こしてみるとよい。そこで再現されようとしたのは、受動的なあらすじなどではなく、語りの持つ「パフォーマティブ・フォース」であった。

2. うわさの分類

うわさは、最も古くからあるメディアである (Kapferer 1987)。新聞やテレビ、インターネットが無い時代を考えると、うわさ、流言、風評と呼び方は多種あるが、口伝えによる伝達は人々が身近に触れられる情報源だった。文字が庶民の手に渡ってからも、うわさは数少ない、場合によっては人々が判断の拠り所とできる唯一の情報源であった。

うわさの類語は多くあり、それぞれに微妙な差異とニュアンスがあるが、社会心理学者の川上善郎 (1997) は、うわさの分類として (90) のように整理している。

（90）　うわさの分類
　　社会情報としてのうわさ：流言
　　おしゃべりとしてのうわさ：ゴシップ
　　楽しみとしてのうわさ：都市伝説

これらは、何れも口から耳へと、人々の間に言いふらされ、信じられていく情報である。以下では、それぞれの特徴を川上 (1997)、松田美佐 (2014) の説明に基づきながら紹介する。

2.1 流言

流言は、ゴシップと比べると、社会的な情報を扱ったものである。有名な流言の例としては、1973年に起こった、ある信用金庫の流言がある。「信用

金庫の経営が危ない」という流言が広まり、実際に取り付け騒ぎが起こった。この流言で特徴的なのは、警察によって、うわさの情報源が特定されたことにある。もとは、女子高生の何気ない一言からうわさは広まり、不安が煽られ、預金者が払い戻しを求めて殺到した。流言は、社会的情報であること、わりあい広い範囲に広がる点が特徴である。

　松田 (2014) は、評論家の荻上チキによる「有害メディア論」（新しいメディアの影響力を過剰に高く見積もった上で、その新しいメディアが人々に有害な影響をもたらすとする説）を流言と見なし、議論している。一昔前の親は漫画やテレビの子供への影響について神経質になっていた。近年では、コンピューターや電子メール、スマートフォンやコミュニケーションアプリなど、新しいメディアが現れるとその危険性への過剰反応が流布する。「〜は有害だ」という話は、常にその時に子供や若者の間でブームとなったものがターゲットになるという。図62のように、新しいメディアはいつも批判にさらされる。有害メディア論についての流言は見慣れないものを排除するだけではなく、秩序化のために流通すると考えられる。

図62　いつの時代も新しいメディアは批判される

2.2　ゴシップ

　ゴシップは、社会的な出来事を扱う流言と異なり、第三者（ゴシップの多くは人に関わる出来事である）についての個人的なうわさ話である。芸能人など有名人

の個人的な事柄についての興味本位のうわさ話としても、このことばは使われる。

　先の流言と比べると、個人的なおしゃべりの中で生起している点、証拠性にさほどこだわらない点、空間的に拡散される可能性がある点が異なる。社会情報としてのうわさ＝流言は不特定多数の人々の中を流れるのに対し、おしゃべりとしてのうわさはある程度親しい人々の中でしか流れない。

　ゴシップで用いられることばの研究としては、エダーとエンケ (Eder and Enke 1991) がある。

（91）（小学校6年生たちの学校での昼休みの会話）
　エレン：私あなたに言い忘れてた
　アンドレア：なにを
　エレン：グレタ・コリンを私が嫌いなわけ…
　アンドレア：（なぜなの）
　エレン：あのひとカッコ付け屋だから。＃バスケットやりたいかって聞いてごらんなさい。彼女＃ (悪意に満ちた声で)『チアーリーダーは、バスケットボールしないものよ』っていうから。
　アンドレア：そう言ったの？ (エレンから肯定の非言語的な反応) 頭にきちゃうわね
　エレン：そうよ
　アンドレア：チアーリーダーは、バスケットボールしないって＃うそ((沈黙)) そんなへんな話ないわ。
　フローレンス：彼女、自分の家ではまちがいなくバスケットしてるんだから。
（　）はっきりしなかったところ　　（（　））非言語的な行動で示された内容
＃話す順番のときに間をとったところ
　　　　　　　　　　　　　　　　　　　　　　　　　　（川上 1997による訳）

　ゴシップは、一定の話を語るために、開始から聞き手を巻き込むような手続きが採用されている。エダーとエンケが挙げる事例では、最初に「あなたに言うの忘れちゃった」と一度前置きを置いて、相手の注目を得てから悪口

の内容は語り始められる。その後語り手は、相手が促してくれるのを待って、ようやくゴシップのターゲットになる人物の名前を出すのである（ここではグレタ・コリンの名前）。聞き手の注意を引きつつ、語りは進行する。そして、ターゲットに対して、「カッコ付け屋」という否定的なレッテルを貼る。つまり、ターゲットを特定し、ターゲットの評価を方向付けることで、ゴシップが始まる。ゴシップも他の語りと同様に、単に情報のかたまりではなく、聞き手と共働で成立するのである。

　ゴシップには情報機能があり、ゴシップとして語られる内容とともに、その内容の価値を伝える。例えば、松田 (2014) が挙げるように、仲間の一人がデートで失敗したというゴシップは、デートでどのように振る舞うべきかを間接的に教えてくれる。

　さらにゴシップには、集団規範の形成・確認機能がある。例えば、クラスメイトのA子が先輩と同棲しているというゴシップは、情報を与えるとともに、話者や聞き手が同棲をどう受け止めているかを確認する機会となる。抽象的な一般論ではなく具体的に、個々の行動に対する価値判断を確認することができる。このため、ゴシップは集団をまとめているともいえるし、もし自分の基準に合わなければ、その集団と距離を置くこともあるだろう。川上は、ゴシップを社会的な境界を維持するための道具と述べている。

　そしてゴシップには、エンターテインメントの機能がある。話のネタ、会話の促進剤としてのゴシップである。ゴシップは、人間関係を円滑にするために重要なものである。

　ゴシップに含まれることばによってその集団の行動規範をあぶり出すことができるので、人類学などにおいて、多様な地域を対象としたフィールドワークが行われている。例えばベスニア (Besnier 2009) は、オセアニアのツバルにおいてゴシップによる世論形成を扱っている。ゴシップの機能は、話者の人間関係や地域によって異なることが予想され、ゴシップを扱ったフィールド研究が蓄積されている。

　しかし一方で、他人の陰口であるから、人を傷つけることのないように慎まなければならない。

2.3 都市伝説

　都市伝説とは、都市化が進んだ現代において広まったうわさを古くからある伝承と区別して呼んだもので、大抵、根も葉もないものが多い。口裂け女や学校の怪談などがある。

　松田 (2014) は、うわさには「ここだけの話だけれど」という枕詞がつくことについて、「他人は知らないことを知っている」「その話をあなただけに教える」という仲間意識を強めるためにうわさが使われると述べている。そして、誰かから好意や恩を受けた場合に、心理学でいう「返報性の規範」として、とっておきの秘密情報を「ここだけの話だけれど」としてお返しに伝えられることを指摘している。うわさ話には詳細や条件などが尾ひれのように付け加えられることがある。「口裂け女の容姿（マスクを外すと美人）」や能力等の詳細「100mを5秒で走る」、転化的迷信として、「口裂け女にポマードを見せると回避できる」などである。転化的迷信は「ドラキュラにニンニクを見せると回避できる」などにも見られ、ダンディス (Dundes 1964) によるアメリカインディアンの民話にも見られる。

　これらのうわさ、都市伝説は、話が詳細によくできているものが多い。人に伝える際に、相手の感情を取り込めるように話が魅力的に発展してきたと考えられる。うわさや都市伝説については、その伝達の過程、どのように元の話が変容していったかを調べたものもある。

　三隅譲二 (1991) によれば、他のうわさとは異なり、都市伝説は語ること自体に目的があるという。話の内容が、情報というより一種の物語としての構想を持っている点で、単なる事実確認型のうわさとは異なる。都市伝説は、長期にわたって繰り返し語られ、伝播しているという点において、けして一時的なコミュニケーション過程であるとはいえないと述べている。流言が一般的、あるいは文化的な信念の叙述であり、普通に信じうる程度にもっともらしいものであるのに対して、都市伝説は普通ではあり得ないような話も含まれている。このため、都市伝説は娯楽として享受されており、そこで伝達されているのは、驚き、感動、興味といった話の盛り上がりである。情報伝達のような口調ではなく、オチや盛り上がりのある物語の形式をとることが多い。

口裂け女や、勝手に想像・創造されたアニメの最終回（のび太くんを救うドラえもんの死、サザエさん一家全員が飛行機に乗り、飛行機が墜落し、一家は海へ還るなど）の話を聞いたことがあるだろうか。これらは実際のアニメとも対応しておらず、根拠がないものだが、二次創作が行われ、一定の詳細を持った物語として語られる。物語の形式をとるといっても、固有名詞が入る伝説と入り交じった混合型（源義経が実はジンギスカンであった、ネス湖のネッシーなど）では、オチがない歴史的記述ないし論文型の物語構造になるとされる。

　三隅が挙げるもう1つの特徴は、都市伝説については、人々は、その信憑性について不問にするという点である。むしろ、都市伝説流布の過程は、取捨選択なき収集総合化によってその曖昧性を増大させる過程である、とされる。

　以上、様々な種類のうわさを見てきた。うわさには嘘や、根も葉もないものもあり、真実を伝えない、歪んだ情報であるという否定的見方もあるだろう。その一方で、人々がうわさを使って成し遂げること、維持することを調べることにより、コミュニケーションの重要な一面が観察できるだろう。

　これらのうわさは、どれも一定期間は語られるが、人のうわさも七十五日と言われるように、いずれ廃れてしまう。カプフェレ（Kapferer 1987）は、うわさをチューインガムに喩えている。うわさは面白く、多くの口を満たす役を果たすが、しばらく噛んでいるうちに味がなくなり、うわさを語る楽しみもなくなる。だから別のうわさで置き換えられるのだと述べている。

3. 話の拡散とソーシャルネットワーク

　近年のネットワーク社会は、見ず知らずの人間同士をつなげることになった。近年のインターネット技術の発達、SNS等の普及により、情報の拡散は加速化している。うわさは第三者から第三者へと拡散していくので、うわさがどのように伝播するかを調べることによって、ソーシャルネットワークの特徴を知ることができる。

　問題なのは、フェイクニュースといわれる雑多な種類の偽情報の拡散である。笹原和俊（2021）によれば、フェイクニュースは真実よりも早く広く拡散

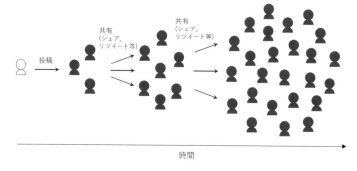

図63 情報の拡散（笹原 2021）

するという。フェイクニュースには、「プロパガンダ」、「釣りタイトル」、「スポンサードコンテンツ」、「誤報」、「陰謀論」、「ニセ科学」などがあるという。

　連帯感を生み出す話として楽しんでいるうちはよいが、他者の誹謗中傷、災害時の偽情報など、深刻な被害を生み出すものもある。笹原によれば、ソーシャルメディアは多様な人々と情報をつなぐことで、機会創出や価値創造を促すプラットフォームの役割を期待されてきた。しかし、見たいものだけを見て（確証バイアス）、つながりたい人とだけつながる傾向（同類原理）を助長している問題が顕在化しているという。エコーチェンバー（同じ部屋（チェンバー）の中で同じ声がこだまする状況）という、似たもの同士だけでつながる、閉じた情報環境に陥ることが、フェイクニュースの温床となり、自分とは異なる立場の人を遠ざけてしまう。

　私たちがネットを見る際、自身の価値観に見合う情報だけを選好し、価値観に見合わないものを無視することによって、実際には多様な情報が存在するはずなのに特定の情報にのみさらされることになる。これによって自身の考えは強化され、異なる意見の他者と分断を招いてしまう。図64はコミュニケーションを進めていく過程で、同じ見解の立場同士がまとまり、別の見解の立場と分断していく様子を表している。画面左上の立場と右下の立場が徐々に分断しエコーチェンバーを作り出す模式図である。

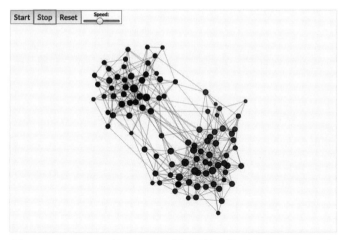

図64 エコーチェンバーが生まれ、2つの立場が分断する様子 (Sasahara et al. 2021)

このような現象を避けるには、自身が得ている情報とは異なる情報への想像力と、ニュースの信憑性を吟味できる批判的思考が必要である。

4. 物語の悪用

「語る」は「騙る」に通じると古くは柳田 (1933) が述べている。物語の性質を悪用した例に劇場型詐欺がある。複数の登場人物がストーリー仕立てで詐欺を行うことである。登場人物が複数おり、複数回にわたって電話がかかってくるなど、物語の設定が巧妙に練られているものがある。警察では、詐欺の音声を公開するなど、被害防止に努めている。

しかし、マスコミ等で報じられていても、犯罪者側は、あらかじめ個人情報を握っており、複数人で組織的、計画的に犯行を練っているため、そのシナリオに巻き込まれてしまう。

（92）は、警視庁が公開した特殊詐欺電話の音声[21] (これがオレオレ詐欺の音声だ！) の冒頭部分を書き落としたものである。Aの息子役がB (被害者) に事情 (会社の小切手が入ったバッグを無くした) を話した後、会社の上司が登場する場面である。

（92）　A：息子役の詐欺師、B：被害者 (父親)、C：息子の上司役

A：うんちょっとそっちからも謝ってほしいんだよ

B：あ (.) >俺の方から謝んのね< (.) 上司にね

A：う：ん

B：うん

A：でちょっと本田さんっていうからさ：

B：本田さん？

A：あの：ほんとにお世話になってるからさ

B：ほ本田さんね (.) はい

A：うん (.) 今代わるね

B：はい

（上司役が電話に出る）

C：あ (.) もしもし：

B：もしもし

C：あ (.) あの：はじめまして (.) 本田と申します

B：ああ本田さんね

C：はい (被害者名) 様でよろしかったですか？

B：はい (被害者名) と申します：

C：はい (.) このたびはですね (.)
　　そちらの方までいろいろとご迷惑おかけ[してしまって

B：　　　　　　　　　　　　　　　　　　[いやとんでもないね：息子がなんかね

　　(.) とんでもないこと：：(.) うん[なっちゃってね：申し訳ありません

C：　　　　　　　　　　　　　　　[いや：いえいえいえ

B：はいはい

C：え：一応ですね (.) あの：：本日彼が落としてしまいました[小切手についてなんで
　　すけれども

B：　　　　　　　　　　　　　　　　　　　　　　　　　[はいはい (.) はい

C：え：そちらの方はですね (.) 既にあの銀行さんの方などに

B：ええ

C：手配の方行いまして

B：ええ

この「物語」は「息子」が1000万円の被害を会社に与えてしまい、あと320万足りないので「父親」に助けてほしいというシナリオである。「息子」とその「上司」に加えて、無くしたバックを受け取った「遺失物管理センター役」も登場する仕掛けになっている。

ひとは慣れていないシナリオには余裕がなくなり、判断力が低下する。一方、詐欺師は自分たちが練ったシナリオであるので、余裕もあり自信もある。ひとは、行動に関する一連の流れについての知識（（スクリプト（台本）（Schank and Abelson 1977））を用いて活動していると考えられており、知らないシステムのレストランでドギマギするのは、その手順についての知識がないからである。事前に犯罪の一連の流れを得ておくと安心して行動できる。詐欺の設定に使われる様々な手口について、あらかじめ情報を得るのも手である。

図65は、宮城県警察が制作した「ゲキタイかるた」である。読み札は詐欺の設定「例：もしもし　ばあちゃん、オレだけど」と、正解の取り札（ふさわしい行動）との対になっている。間違い札、解説もあり、インターネット上で印刷できるようになっている。

図65　（左から）読み札、正解の取り札、間違い札[22]

以上、本章では、うわさ、ゴシップ、都市伝説など、雑談の中で繰り広げられる語りが人間関係の維持に重要な役割を果たすことを見てきた。後半では、ネットワーク網の発達によるうわさの拡散と立場の分断、そして特殊詐欺に見られる物語の悪用という、負の側面を扱った。

コラム 保存のための物語

　物語には何かを保存する機能がある。『古事記』が物語を含み、物語の中に歴史の伝承が含まれていることも、物語としての保存の例である。

　松岡正剛 (2001) によれば、古代の情報システムは「物語」という様式によってファイリングされてきたという。ギリシャ神話や旧約聖書は、物語という様式を持った情報管理システムだったのである。これに対して、図像による情報管理として、曼荼羅を挙げている。たくさんの枠組と位置と色彩によって構成された曼荼羅は、そのおびただしい数の神々のイコンをクリックすることで、さまざまな情報を引き出せるようになっていたと述べている。

　では、曼荼羅のような図像と、物語とは何が違うのだろうか。図や絵は一度に情報が提示されるが、物語ははじめから順番に提示されるという違いがある。そもそもことばは多くの情報を1回で提示するのではなく、順番に提示するという性質がある。そこで、ことばの場合は、提示の順序や方向性が重要になってくる。それは松岡によれば、図像の本質がコンフィギュレーション (図形配置) にあるのに対し、物語はカナリゼーション (運河化) である (松岡 2001: 188) ということである。物語では情報は順番に提示されるので、その順番や注意の引きつけ方が重要になってくる。何に注目してどの視点から描くかという語りの方向付けが重要となる。

　畑村洋太郎 (2000) が提唱する「失敗学」における基本的姿勢は、失敗の特性を理解し、不必要な失敗を繰り返さないとともに、失敗からその人を成長させる新たな知識を学ぼうというものである。私たちの身近で繰り返される失敗を有効利用しようというものである。科学技術分野の事故や失敗の事例、それに至る脈絡 (＝「シナリオ」) や、得られる教訓がまとめられている。

　事故や失敗、天災は突然やってくる。そんなとき、自分とは離れた抽象的な知識よりも、当時の経験を追体験することによって湧き上がる実践的な判断力が役に立つことが多い。そのための経験の事例を蓄積、共有する試みである。

　2011年の東日本大震災の後、東北沿岸部を中心に繰り広げられる「語り

部」の活動は、経験を語りとして後世へつなげる試みである。人は、災害の直後は経験を覚えており、津波の被害がない高台に住むが、10年、100年と日が経つにつれ、経験は忘れ去られる。寺田寅彦 (1933) は「津浪と人間」で「いつともなく低い処を求めて人口は移って行く」ことを「鉄砲の音に驚いて立った海猫が、いつの間にかまた寄って来るのと本質的の区別はないのである。」と述べている。

物語を保持するためには、いくつかの手法があるが、その1つは標章 (エンブレム) である。

「ハリー・ポッター」のホグワーツの魔法魔術学校の寮にはエンブレムがある。ホグワーツ魔法魔術学校は4つの寮 (Houses) に分けられ、名前はそれぞれの創立者、グリフィンドール、ハッフルパフ、レイブンクロー、スリザリンに由来する。それぞれの寮の特色は、創立者の個人名に代表される。ブルーナー (Bruner 1990: 85) が述べたように、物語は具体的でなければならないのである。そして、物語が個別性を獲得すると、物語は個別性を比喩的表現に変換する。標章、エンブレムがアイコンとなって、そのボタンを押せば、それに連なる歴史物語が出てくるのである。

物語のフィールドワーク

「フィールド」(調査対象となる現場) で「ワーク」(調査) することをフィールドワークという。本章では、物語をフィールド調査するための留意点やツールについて見ていく。

1. 民話を採集する

　各地の民話を採集する試みがあるが、これもフィールドワークである。民話以外にも体験談のナラティブをフィールドで採集することもある。

　民話を採取し、方言で民話を語り継ごうという試みや、集められた民話をデータベース化し、インターネット上に公開する試みが各地で行われている。

　その一例として、宮城県におけるサークル「みやぎ民話の会」[23]では東北地方の民話を採集し、民話集の編纂を行っている。

　その様子は、2013年に濱口竜介、酒井耕監督による映画『うたうひと』に納められている。その中に登場する語り手の女性は、宮城県に伝わる民話「猿の嫁ご」を生き生きと情感を込めて語る。

　あらすじは以下のようなものである。

（93）　昔、ある家に娘が3人いた。ある年の日照りに、どこの田にも水がなくて困っていると、1匹の猿が来て、「あんたの田に水をいれてやるから、娘を誰か1人くれ」というので父が承知すると、猿は忽ち水を

ためる。父が猿との約束を心配していると、末の娘が快諾して猿の嫁となる。2、3日後、猿と娘がお舅礼に来る途中、藤の木の前で、父にこの藤の花をとっていきたいと娘が言う。猿は木に登ってとろうとし、娘がもっと先というのにつられ、先まで行った。するとからまった藤のつるが木からはなれて猿は川の中に落ち、娘は無事家に帰ってきた。

（国際日本文化研究センター「怪異・妖怪伝承データベース[24]」）

『うたうひと』に登場する語り手は、猿に嫁入りした娘が、猿に向かってあれこれ無理難題を突きつける様子を生き生きと語る。娘は、道中で見つけた藤の花を見て、その花を積んでいけば父がきっと喜ぶと猿に言う。花を取ろうとして臼を背負ったまま木に登った猿は、川に落ちて死んでしまう。娘はこれで猿に嫁がずにすんだという話である。この解釈を、「みやぎ民話の会」の小野和子は、現実の人生では女性は嫁ぎ先で服従するという弱い立場であり、これを物語の中で解消させているのだという。嫁ぎ先では忍耐を強いられた語り手の女性の人生と重ね合わせている。語り手は物語に自分の人生を照らし合わせて語っており、創作の物語と現実の物語は交差する。

　語りは、直接語り手から収集する場合や、すでにあるデータベース等から採取する場合がある。類似の話を見つけたり、同じモティーフの民話の地域による分布の違いを見るのも面白いだろう。例えば異類婚姻譚としては、「猿の嫁ご」の他に「鶴の恩返し」、「蛇女房」、「魚女房」など多くのバリエーションがある。

　民話の内容とともに、言語形式に着目した研究もある。宮城県気仙沼方言は、東日本大震災の後、消滅の危機に瀕する方言として文化庁の調査対象の地域となっている。次は気仙沼方言話者が語った「鮭女房」という話の冒頭を筆者が記述したもので、写真は調査風景である。

(94)　ムカシ　イズノゴロダカ　ワカンネケッドモ　ヒトリモノノ　イイ　オトコワラシガ　イタトッサ。キダテノイイ　ワカモノダッテ　カワノソバ　アルイタッケ　オッキナ　サガナ　ンドコ　イジメタリ　ツツイタリシテ　ワラシドモ　イタ　タスケテ　ニガシタンダカモ　シ

ンナイネ。ミンナ　イギテル　モンダ　カワイソダト　オモッテ　ハ
ナシデ　ヤッテ　ワラシサモ　オシエダガ　オシエネカ　ワガンナイ
ケドモ　オッポ　ヒルガエシテ　アリガト　ミタイナ　カワサ　ミヲ
カグシタ。　　　　　　　　（気仙沼方言話者の作成した「鮭女房」冒頭部分）

すでに採取されたデータベース、書籍
等から民話を収集することもできるが、
語る場面を録音し、さまざまな話型やこ
とばの用いられ方を調査する場合もあ
る。以下では、調査に用いるツールにつ
いて述べる。

図66　気仙沼市民会館にて
ビデオとICレコーダーが置かれている。

2. 物語を分析するツール

　まず、録音、録画の前に、調査対象の選定が必要である。そのためには、
研究論文や書籍を読むことを薦める。そうすれば、どのような対象でどんな
ことを調べたいのか、何が必要かもわかってくるだろう。事前準備として、
語り手(調査協力者)からデータ収集の目的や使用について理解と同意を得てお
く必要がある。調査協力者に不利のないように配慮する必要がある。フィー
ルドに行く場合、その土地の情報を得ておくと、調査の際に共通の話題で盛
り上がる可能性もある。観光協会などでパンフレットがもらえることもあ
る。

2.1　フィールドノート

　第1に挙げる分析ツールは、ただの「紙」、あるいは記録媒体である。調
査で気づいたこと、アイディアをメモしよう。自分のお気に入りのサイズの
ノートでもよいし、名刺大、B6版、京大式カードなどさまざまな大きさの
ものが市販されている。パソコンやスマホのメモ機能や、メッセージをメー
ルなどで自分に送るのも手である。
　資料を情報カード等で整理すると、机の上に並べて俯瞰することができ

る。一方、エクセル等のソフトで電子化すると後の利用に加工がしやすい。

　取材時の状況、位置関係などをイラストで書いたり、スケッチした方がわかりやすいものもある。その日のうちにメモしよう。書き留めないと忘れる。日付を忘れずに。

2.2　録音録画機材

　物語・語りを音声や映像として記録する場合、ビデオカメラ、ICレコーダーなどを用いる。スマートフォンで録音や録画を行うのも手頃な方法である。高価で高性能の録画機材よりは持ち運びが楽で、操作しやすい機材が便利である。決定的な瞬間を逃したくないからである。三脚や一脚があると便利である。

　椅子に座って定位置で話してもらう場合、事前にカメラの位置を確認しておこう。研究目的にもよるが、バストショット（胸の下くらいから上の範囲、ニュースでアナウンサーが写る範囲）が見やすいだろう。ジェスチャーや体の向きなども範囲に収めたいときは、もっと引いた映像を撮ろう。床に椅子の位置を示すため、マスキングテープを貼って場所を決めておくとよい。2人の人に話してもらう場合、座席の位置を90度で向かい合わせると緊張がほぐれ、2人同時にカメラに収めることができる。研究目的を明示し、個人情報や被調査者の権利を守る同意書も準備しよう。

図67　ビデオの停止画から線画に変換したもの：（甲田 2015b）

　図67は、2人の話者が90度の角度で対話している様子である。左側の話者が語りの途中、手を上げてジェスチャーを用いて説明している。机の上にICレコーダーが2台置いてある。もしものためにバックアップとして用意してある。

　機材の充電は、まだ充電量があると思っても、調査ごとにフル充電しよう。途中でバッテリーが切れることを避けるためである。

　データを採る前に、語ってもらう人にどのように依頼するか、その場での説明もあらかじめ考えておこう。ビデオに慣れるために少し時間を要するか

もしれない。

2.3　文字おこしとデータの加工

　音声データを文字におこす。これを文字おこしとか転記または転写という。文字おこしは少なくともデータの3倍から5倍以上かかる。30分のデータなら90分はかかる。

　音声を文字におこす際に、何度も聞き直し、再生スピードを遅くすることによって文字化をしていく。パソコン上で音声の区間再生ができ、音声加工を行うソフトとしてAudacityがある。

　Audacityは、フリーの非破壊サウンド編集ソフトで、音声の切り出しやマスキング（トーン音やホワイトノイズ）などのエフェクト処理ができる。文字おこしの際には、特定箇所を何度も再生したくなることがある。そのとき、範囲設定してその部分だけを再生してくれる。聞き取りにくいときに再生速度を変え、低速度で視聴することもできる。逆に、データ全体の流れをつかみたい場合、早い速度で視聴することもできる。話者にもよるが、私は1.3倍から1.5倍で再生して、まず話の全体を確認している。

　文字おこしはデータ観察の練習になる。短い音声でもよいので練習してみよう。

2.4　Praat 🖥ファイル

　Praat（プラート、オランダ語で「話」の意）は音声学における音声分析用のフリーソフトウェアである。Windows、Macなど多くのOSに対応している。

（95）　Praatで分析できること
　①Spectrogram：音の分析結果を示すパターンで、周波数成分の強さ（intensity）、周波数（frequency）、時間（time）の情報を有する。周波数成分の強さ（濃淡のグレースケール）、周波数（縦軸）、時間（横軸）という3次元表示によって与えられている。
　② pitch：音の高低が青い曲線で表される。
　③ intensity：waveformの音声の強さを示す。

④ formant：声道の共鳴。フォルマントは、音声のエネルギーが集中している周波数で、その音声 (特に母音) を特徴づける。

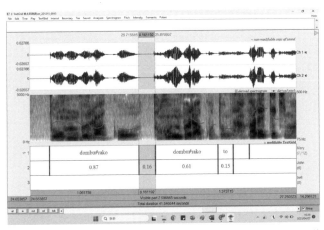

図68　Praatによって分析された音声 (上段から：音声波形、スペクトログラムと波線 (ピッチ曲線と持続時間)、
IPA表記、持続時間。(桃太郎から「どんぶらこ　どんぶらこと」の部分)

　高さや強さなどの音声情報を紙面上で視覚化することにより、音声をより具体的に分析、提示することができる。

　Praatの使い方については、書籍 (北原真冬・田嶋圭一・田中邦佳 2017)、各種ウェブサイトで勉強できる。以下では概要だけ示す。

(96)　Praatの使い方の流れ

　①Open→Read from file でファイル指定して開く。

　②View&Edit ボタンを押す→強さとピッチ曲線が出る。

　③下のバーを押して音声を聞いてみる。

　④選択した範囲の音声を聞いてみる (下に選択した範囲の時間が表示されることに注目) Time→Zoon in で拡大してみる。

　⑤それぞれの音を1つずつ聞いてみる。母音引き延ばし、子音の長さなど観察してみよう。それぞれの音の持続時間を見てみよう。

⑥Pitchを見てみよう。Object画面でSoundを指定して、Analyse Periodicity →To Pitch

⑦Soundを選択して、Annotate→To Textgridとして、Textgridを作る。

⑧TextGrid画面が出たら、層 (初期段階では3つ) に注釈等を書き込む。

⑨その音の範囲を選択して、文字を入れる。(IPA／ローマ字／ひらがな等)

2.5 文書整理のためのソフト 🔵ファイル

　物語や民話等が電子化されて公開されているものがある。民話データベース、各種コーパス[25]、青空文庫 (著作権が切れた作品が電子化されて公開されている)、プロジェクト・グーテンベルグ (Project Gutenberg[26]) などである。国立国語研究所のコーパスのように、コーパスとともに検索しその結果を表示するシステム (「少納言」、登録によって使用できる「中納言」：それぞれ無料で使用できる) を備えているものもある。

　複数のファイルを対象に文字列を検索し、結果を表示するgrep検索ができるソフトを使用して、検索し結果を一覧することができる。Windowsの場合でいうとKWIC Finderがある。ローカルファイルシステムを対象とした、ファイルビューアである。テクストの他に、PDF、Office文書、一太郎など、各種ワープロ文書・表計算シートの検索ができる。正規表現、AND/OR/NEAR/NOT検索などができる。検索結果はKWIC索引の形式で一覧表示され、クリックするだけで該当個所を内蔵ビューアに表示する。テクストはリスト出力できる他、タブ区切りデータとして出力できるので、テクスト分析ツールとして便利である。

　操作の一例として、

　①検索対象ファイルフォルダの指定と検索語の入力

　② (以下のタブを選択) ファイル→検索一致リスト→タブ区切りデータ

から、選択し、エクセル等の表計算ソフトに貼り付けて管理、編集する。エクセルファイルに結果を保存すればデータの並べ替えなど活用できる。ワード等のワープロソフトで管理する場合もあるが、エクセル等の表計算ソフトを用いると件名や着眼点などを件数ごとに入力できるので便利である。

3. 物語を比較・対照する

　文字や言語音のない絵やビデオを用いて、どのような言語形式で語られるのかに注目した研究がある。同じ物語題材を用いることにより、異なる言語、発達段階、文化間での比較が可能になる。この中から、3つ紹介する。

　1つ目は、『Frog, Where Are You?』で、マーサー・メイヤー (Mercer Mayer 1969) によって描かれた、文字のない絵本である。男の子が飼っていたカエルが逃げ出し、そのカエルを追って探しに出るが、カエルは自然に帰り、家族を作っていたという内容である。

　バーマンとスロービン (Berman and Slobin 1994) はさまざまな言語でどのようにこの物語が語られるかを調査している。各国語の様々な年齢の子どもが語ったデータがCHILDES (チャイルズ、Child Language Data Exchange System[27]) に格納されている。バーマンらは、物語での事象の関係づけがどのような表現でなされるかを、言語間での発達研究としてまとめている。子供は発達段階で物語の複雑な文構造を表現するようになる。バーマンらは3歳児が、and/and then (そして) のような単純な連結表現を多用するが、5歳、9歳と複文構造を利用するようになり、9歳児では理由や逆接を表す接続詞 (because, although) が多くなり、高密度の文構造 (dense packing) を使えるようになるとしている。

　2つ目は、「梨物語」(The Pear story) で、アメリカの言語学者チェイフ (Chafe 1980) によって開発された6分間の映像素材である。効果音は入っているものの、ことばを用いない物語である。あらすじは、それほど強いストーリーラインは無いものの、農夫が梨を収穫しているところに少年たちがやってきて梨を盗んでしまう場面が含まれている。YouTube上でも公開されている。

　共通の刺激映像を言語化してもらうことにより、言語構造 (特に談話構造) の多様性・普遍性を検証することを目的に発案されたものであり、これまで多くの言語の対照研究に利用されている。日本語、キチェ、ギリシャ語、ドイツ語など多くの国と言語で収集された事例をもとに考察が行われている。

　3つ目は、『ミスター・オー』(Mr. O) で、ルイス・トロンダイム (Lewis Trondheim 2004) による文字のない絵物語である。2004年に日本女子大学でこの絵本を用いて、日本語、アメリカ英語、韓国語、リビア・アラビア語が収集

されている。

　藤井洋子 (2018) では、ストーリーを組み立てていく様子を分析し、英語と中国語では「個を基体とする言語行動」をとっていたのに対し、日本語、韓国語、タイ語では「場を基体とする言語行動」をとっていたとしている。以下は物語作成中の発話である。

(97)　ちっちゃいのが上に乗ってやろうとしたけど無理でえ:: (日本語)

(98)　Oh, oh, he's about to jump here, and then when he jumps he falls. (英語)

(99)　นี่ไง ไอ้ตัวเหลืองก็พยายามจะส่งมันข้ามไป (「ほら、黄色は頑張ってこれを (向こうの崖まで) 飛ばそうとしている」) (タイ語)

(100)　回来之后它又碰上这个小东西了. (「戻ってきたあと、それはまたこの小さいのに出くわした」) (中国語)
　　　　　　　　　　　　　　　　　　　　　　　　　　　　　　　　　　　(藤井 2018)

　以上、物語、ナラティブを分析するツールを見てきた。

コラム 方言に見る言語変化

　物語の古い文献資料から言語変化を読み取ることができる。

(101) 声を上げて叫ぶ程に、件の鼠が聞き付けて (声を上げて叫ぶのでそのネズミが聞きつけて)
　　　　　　　　　　　　　　　　　　　　　　　　　　　　　　　　(天草版伊曽保物語)

　「ほどに」は理由表現 (現代語訳で「ので」となっている) として用いられているが、現在では「〜すればするほど〜」など程度表現に限られる。図69は方言文法全国地図における理由表現の分布である。青森県の日本海側に「ハンデ」の印が見える。「ハンデ」は「ほどに」に由来し、文献に見られた古い形が文化の中心地、京都から見て周圏に残っていることがわかる (方言周圏論)。理由表現は栄枯盛衰が激しく、地域差が大きい。彦坂佳宣 (2005) によれば文化の発信地である京畿から「已然形＋バ」→カラ→ニ→デ→ケン類→ホ

ドニ→ヨッテ→サカイの放射があったと考えられている。中心から離れた場所には、かつて使われたことばが方言として残っている（方言周圏論的分布）。

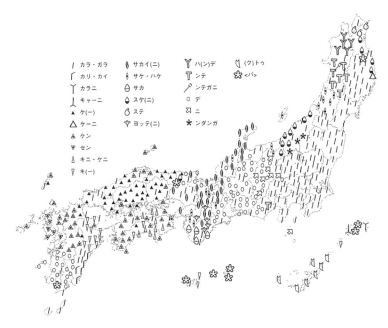

凡例:
／	カラ・ガラ	⬧	サカイ(ニ)	Ⓨ	ハ(ン)デ	⬧	(ク)トゥ
⌐	カリ・カイ	⬧	サケ・ハケ	⊤	ンテ	／	ンテガニ
Ⓨ	カラニ	⬤	サカ	／	ンテガニ	○	デ
⊥	キャーニ	⬧	スケ(ニ)	○	デ	⋈	ニ
▲	ケーニ	⬧	ステ	⋈	ニ	★	ンダンガ
△	ケーニ	⬧	ヨッテ(ニ)	★	ンダンガ		
⏶	ケン						
▽	セン						
⋏	キニ・ケニ						
▽	キ(ー)						

図69 GAJ33「雨が降っている<u>から</u>行くのはやめろ」（彦坂 2005: 67）

註

01 　大英博物館コレクション　https://www.britishmuseum.org/collection/object/W_K-3375

02 　巻末の参考文献に翻訳版がある場合、ページ番号は翻訳版のものを指す。以下同様とする。

03 　ユーザーローカル テキストマイニングツール　https://textmining.userlocal.jp/

04 　エスノローグ　https://www.ethnologue.com/guides/how-many-languages

05 　The Japan Society　https://www.japansociety.org.uk

06 　国立国会図書館デジタルコレクション　https://dl.ndl.go.jp/info:ndljp/pid/1288336

07 　国際音声学会国際音声記号
　　https://www.internationalphoneticassociation.org/IPAcharts/IPA_chart_trans/pdfs/IPA_Kiel_2020_
　　full_jpn.pdf

08 　国際音声学会国際音声記号の音声を掲載
　　https://www.internationalphoneticassociation.org/IPAcharts/inter_chart_2018/IPA_2018.html

09 　国立国語研究所天草版『平家物語』『伊曽保物語』『金句集』画像
　　https://dglb01.ninjal.ac.jp/BL_amakusa/show.php?chapter=3

10 　『類聚名義抄』国立国会図書館デジタルコレクション
　　https://dl.ndl.go.jp/pid/2586896

11 　福娘童話集　http://hukumusume.com/douwa/pc/sonota/meisaku/001_j&E.html

12 　大英図書館蔵『Esopo no fabulas』（国立国語研究所『伊曽保物語』画像）
　　https://dglb01.ninjal.ac.jp/BL_amakusa/show.php?chapter=3）

13 　『おおかみこどもの雨と雪』　細田守、KADOKAWA／角川文庫　https://www.kadokawa.co.jp/
　　product/201112000522/

14 　Web茶まめ　https://chamame.ninjal.ac.jp/

15 　山内図書館　https://yamauchi-lib.jp/school/useful/

16 　ミズーリ大学図書館Folk Tales Online
　　https://libraryguides.missouri.edu/c.php?g=1052498&p=7642263

17 　秋田の昔話・伝説・世間話口承文芸検索システム　http://namahage.is.akita-u.ac.jp/monogatari/

18 　漫画全巻ドットコム　https://www.mangazenkan.com/r/rekidai/total/

19 　『スーホーの白い馬』『おはなしのくに』
　　https://www.nhk.or.jp/school/kokugo/ohanashi/kyouzai/000718.pdf

20 　The LSA Language Anthology survey　https://ideophone.org/language-anthology-citations/
　　アメリカ言語学会　LSA: Linguistic Society of America https://www.linguisticsociety.org/news/2017
　　/07/11/most-cited-language-articles-1925-2012-first-half-2017（1925–2012にJSTORで最も引用され
　　た論文の上位20位までが掲載されている）

21 　警視庁による特殊詐欺の音声　https://youtu.be/TAL8y0YauFA）（SANKEI NEWS）

22 　宮城県警察　https://www.police.pref.miyagi.jp/seian/gaitohanzai/hurikomesagi/karuta.html

23 　民話 声の図書室　https://www.smt.jp/projects/minwa

24 　国際日本文化研究センター怪異・妖怪伝承データベース　https://www.nichibun.ac.jp/YoukaiDB/

25 　国立国語研究所言語資源開発センター　https://clrd.ninjal.ac.jp/guidance.html
　　国立情報学研究所情報学研究データレポジトリ　https://www.nii.ac.jp/dsc/idr/datalist.html

26 　プロジェクト・グーテンベルク　https://www.gutenberg.org/

27 　多言語コーパスTalkBank内にあるCHILDES　https://childes.talkbank.org/access/Frogs/

（各URL 2023年5月7日 最終アクセス）

言及した主な作品名

作品名、制作者、制作年、出版社等
（複数の制作者・メディア・出版社の場合、その一部のみ記している）

「熱い空気」松本清張（1963）『事故　別冊黒い画集（1）』文春文庫

『アナと雪の女王』（2013）ウォルト・ディズニー・アニメーション・スタジオ

『天草版伊曽保物語』『天草版平家物語』大英図書館蔵本（ローマ字翻字テキスト、漢字仮名翻字テキスト）国立国語研究所

『生きるとは、自分の物語を作ること』小川洋子・河合隼雄（2008）新潮文庫

『いちばんわかりやすい北欧神話』杉原梨江子（2013）実業之日本社

『犬神家の一族』横溝正史（1972）角川文庫

──市川崑（監督）（1976）角川春樹事務所

『うたうひと』濱口竜介・酒井耕（監督）（2013）サイレントヴォイス

『おおかみこどもの雨と雪』細田守（2012）スタジオ地図

『オズの魔法使い』L.F.バウム（1990）渡辺茂男（訳）福音館書店

──The Wonderful Wizard of Oz. Baum, L. Frank (1900), George M. Hill Company.

『女のいない男たち』村上春樹（2016）文春文庫

『カレワラ』リョンロット（編）（1835）小泉保（訳）岩波文庫（1976）

『鬼滅の刃』吾峠呼世晴（2016-2020）集英社

『ギルガメシュ叙事詩』矢島文夫（1998）筑摩学芸文庫

『蜘蛛の糸』芥川龍之介（1918）筑摩書房

──The Spider's Thread, Dorothy Britton（訳）講談社（1987）

『グリム童話集1～3』J.グリム・W.グリム（1857）金田鬼一（訳）岩波文庫（1979）

──『1812初版グリム童話　上・下』J.グリム・W.グリム、乾侑美子（訳）小学館（2000）

『警部補・古畑任三郎』三谷幸喜（脚本）（1994-1999）FNN系列

『源氏物語』阿部秋生・秋山虔・今井源衛・鈴木日出男（校注・訳）『新編日本古典文学全集20　源氏物語1』小学館（1994）

──『潤一郎訳源氏物語』谷崎潤一郎（訳）中央公論社（1939-1941）

──『潤一郎新訳源氏物語』谷崎潤一郎（訳）中央公論社（1951-1954）

──『潤一郎新々訳源氏物語』谷崎潤一郎（訳）中央公論社（1964-1965）

──『源氏物語』瀬戸内寂聴（訳）講談社（2001）

──『源氏物語』佐復秀樹（訳）平凡社（2008）

──『源氏物語』毬矢まりえ・森山恵（訳）左右社（2017）

──The Tale of Genji, Waley, Arthur（訳）(1925-1926), Tuttle, Rutland and Tokyo, 1970.

──The Tale of Genji, Seidensticker, Edward G.（訳）Penguin Books, 1976.

『こころ』夏目漱石（1914）集英社

『ごんぎつね』新美南吉（1932）偕成社

『呪術廻戦』芥見下々（2018-）集英社　©芥見下々／集英社

『城』カフカ（1922）（原田義人（訳）『世界文学大系58　カフカ』筑摩書房（1960））

『神曲』ダンテ（1304-1321?）

『進撃の巨人』諫山創（2009-2021）講談社

『スーホーの白い馬』絵・川上和生『おはなしのくに』モンゴルの民話（https://www.nhk.or.jp/school/kokugo/ohanashi/kyouzai/000718.pdf）

『涼宮ハルヒの憂鬱』谷川流（2003）KADOKAWA

──コミック版 ツガノガク（2006）KADOKAWA

『スター・ウォーズ』ジョージ・ルーカス（製作）（1977）ウォルト・ディズニー・カンパニー

『ゼルダの伝説』（1986–）任天堂

『千と千尋の神隠し』宮崎駿（原作・脚本・監督）（2001）スタジオジブリ

『注文の多い料理店』宮沢賢治（1924）新潮文庫

『堤中納言物語』三谷栄一・稲賀敬二・三谷邦明（訳）『新編日本古典文学全集17　落窪物語／堤中納言物語』小学館（2000）

『鉄腕アトム』手塚治虫（1952–1968）光文社

『テニスボーイの憂鬱（上）』村上龍（1985）集英社

『田園の憂鬱』佐藤春夫（1919）（青空文庫　底本：「日本文学全集27　佐藤春夫集」筑摩書房（1970））

『転生したらスライムだった件』伏瀬（2013–）マイクロマガジン社

──コミック版 マンガ：川上泰樹（2015）講談社

『東京物語』小津安二郎（監督）（1953）松竹大船撮影所

『東南アジアを知る─私の方法─』鶴見良行（1995）岩波書店

『トゥーランドット』プッチーニ（1924（1926）），元は民話。

『時をかける少女』筒井康隆（1967）角川文庫

──映画　大林宣彦（監督）（1983）角川春樹事務所

『ドラえもん』藤子・F・不二雄（1969–）小学館

『ドラえもん のび太の宇宙小戦争』藤子・F・不二雄（1985, 2021）シンエイ動画

『ドラゴンボール』鳥山明（1984–1995）集英社

『ニーベルングの指環』ワーグナー（1848–1874）

『のらくろ』田河水泡（1931–1941他）大日本雄辯會講談社（現・講談社）

『ノルウェイの森　上・下』村上春樹（1987）講談社

『化物語』西尾維新（2006）講談社

『ハリー・ポッターと賢者の石』J.K.ローリング（1997）松岡佑子（訳）静山社（1999）

『ハリー・ポッターと死の秘宝』J.K.ローリング（2007）松岡佑子（訳）静山社（2008）

「ハリー・ポッターと賢者の石　CD」朗読：江守徹、松岡佑子（訳）静山社（2003）

『美少女戦士セーラームーン』武内直子（1992–1997）講談社

『不思議の国のアリス』ルイス・キャロル（1865）、矢川澄子（訳）新潮文庫（1994）

『ベルサイユのばら』池田理代子（1976）集英社

『マルホランド・ドライブ』デイヴィッド・リンチ（監督）（2001）

『マンガ　面白いほどよくわかる！ギリシャ神話』かみゆ歴史編集部（編）西東社（2019）

『名探偵コナン』青山剛昌（1994–）小学館　©青山剛昌／小学館

『桃太郎が語る桃太郎（1人称童話）』文：クゲユウジ、絵：岡村優太　高陵社書店（2017）

『モルグ街の殺人』エドガー・アラン・ポー（1841）佐々木直次郎（訳）新潮社（1951）

『雪国』川端康成（1937）創元社

──*Snow Country*. Seidensticker, Edward George（訳）, C. E. Tuttle（1956）

『指輪物語』トールキン（1954-1955）瀬田貞二（訳）評伝社（1972–1976）

──『ロード・オブ・ザ・リング』ニューラインシネマ（2001–2003）

『ロッキー』シルヴェスター・スタローン（主演・脚本）（1976–2006）

『ONE PIECE』（ワンピース）尾田栄一郎（1997–）集英社

Frog, Where Are You? Mercer Mayer（1969）, New York: Dial Press.

Le Petit Prince. de Saint-Exupéry, Antoine（1946）, Paris: Gallimard.

──『星の王子さま』内藤濯（訳）岩波書店（1953）

──*Da Small Pitot Prince*, Keao NeSmith（訳）, Edition Tintenfaß,（2016）（ハワイピジン）

──*Ke Keiki Ali'i Li'ili'i*, Keao NeSmith（訳）, Edition Tintenfaß（2013）（ハワイ語）

──*La Eta Princo*, Pierre DELAIRE（訳）, KANADA ESPERANTO-ASOCIO（2010）（エスペラント語）

──𓀀𓁐𓀭 (*Le petit Prince*), Claude Carrier（訳）, Edition Tintenfaß（2017）（古代エジプト語）

──*The Little Prince*, David Wilkinson（訳）, Omila Languages（2011）（英語）

──小王子、李継宏（訳）、天津人民出版社（2012）（中国語）

Mr.O. Lewis Trondheim（2004）, New York: NBM Publishing Inc.

Orpheus and Eurydice, Edward Poynter（1862）, ウィキメディア・コモンズ　https://commons.wikimedia.org/wiki/File:Edward_Poynter_-_Orpheus_and_Eurydice.jpg

『CD-ROM『新潮文庫の100冊』』新潮社（1995）

参考文献

秋山虔（1995）「源氏物語は悪文であるか」『新編 日本古典文学全集22　源氏物語（3）』pp.3–8. 小学館

天沼春樹（1992）「グリム童話をめぐる現象学」『一橋論叢』107（3）: pp.356–371.

飯島紀（2004）『楔形文字の初歩』国際語学社

五百田達成（2019）『超雑談力 人づきあいがラクになる　誰とでも信頼関係が築ける』ディスカヴァー・トゥエンティワン

生田久美子（1987）『わざからしる』東京大学出版会

石川慎一郎（2014）「コーパス文体論の可能性─ブロンテ姉妹の文体位相を例に─」『文体論研究』60: pp.121–143.

泉信行（2008）『漫画をめぐる冒険［上巻・視点］』ピアノ・ファイア・パブリッシング

出原健一（2021）『マンガ学からの言語研究─「視点」をめぐって─』ひつじ書房

井出里咲子・砂川千穂・山口征孝（2019）『言語人類学への招待─ディスコースから文化を読む─』ひつじ書房

岩崎勝一・大野剛（2007）「即時文・非即時文─言語学の方法論と既成概念─」『文と発話3 時間の中の文と発話』pp.135–157. ひつじ書房

岩槻恵子（2003）『知識獲得としての文章理解─読解過程における図の役割─』風間書房

内田樹（2010）『街場のマンガ論』小学館

海野弘（2015）『北欧の神話とおとぎ話の世界』パイ インターナショナル

榎本秋（2008）『ライトノベル文学論』NTT出版

大塚英志（2013）『ストーリーメーカー─創作のための物語論─』星海社

大塚英志（2014）『メディアミックス化する日本』イースト・プレス

岡本夏木（1985）『ことばと発達』岩波書店

苧阪直行（編）（2014）「「社会脳シリーズ」刊行にあたって」苧阪直行（編）『小説を愉しむ脳─神経文学という新たな領域─』i–xxi. 新曜社

尾上菊五郎（1947）『藝』改造社

折口信夫（1935）「口承文学と文書文学と」『日本精神文化』2（1）: pp.20–28. 河出書房

風間伸次郎・山田怜央（編著）（2021）『28言語で読む「星の王子さま」—世界の言語を学ぶための言語学入門』東京外国語大学出版会

かとうひろし（2014）『初心者のためのマンガの描き方ガイド　マンガのマンガ　コマ割りの基礎編』銀杏社

樺島忠夫・寿岳章子（1965）『文体の科学』綜芸社

河合隼雄（1994）『昔話の深層　ユング心理学とグリム童話』講談社

川上善郎（1997）『うわさが走る—情報伝播の社会心理』サイエンス社

川口秀子（1983）「日本舞踊の間」南博（編）『間の研究』pp.167–182. 講談社

北原真冬・田嶋圭一・田中邦佳（2017）『音声学を学ぶ人のためのPraat入門』ひつじ書房

金明哲・中村靖子（編）（2021）『文学と言語コーパスのマイニング』岩波書店

金水敏（2003）『ヴァーチャル日本語　役割語の謎』岩波書店

金田一春彦（代表執筆）（1986）『朗読　源氏物語—平安朝日本語復元による試み—』大修館書店

串田秀也・好井裕明（編）（2010）『エスノメソドロジーを学ぶ人のために』世界思想社

工藤真由美（1995）『アスペクト・テンス体系とテクスト—現代日本語の時間の表現—』ひつじ書房

工藤庸子（2017）『ヨーロッパ文明批判序説』東京大学出版会

甲田直美（1998）「接続詞と物語叙法」『表現研究』67: pp.19–26.

甲田直美（2001）『談話・テクストの展開のメカニズム』風間書房

甲田直美（2003）「ドラマに見られる話題の展開と構成」『日本語学』22: pp.34–43. 明治書院

甲田直美（2009a）『文章を理解するとは—認知の仕組みから読解教育への応用まで—』スリーエーネットワーク

甲田直美（2009b）「一般的認知能力と文脈の理解」小山哲春・甲田直美・山本雅子（編著）『認知語用論』pp.145–174. くろしお出版

甲田直美（2015a）「語りの達成における思考・発話の提示」『社会言語科学』17（2）: pp.1–16.

甲田直美（2015b）「語り内において連鎖する節の音声特徴—語りの構造とターン交替システムとの関連から—」『認知言語学論考』12: pp.261–290. ひつじ書房

甲田直美（2016）「語彙と文章」斎藤倫明（編）『日本語語彙論Ⅱ』pp.65–96. ひつじ書房

甲田直美（2023）「物語の機能、その魅力」『語りの力』pp.1–30. 東北大学出版会

河野真太郎（2017）『戦う姫、働く少女』堀之内出版

河野六郎・千野栄一・西田龍雄（2001）『言語学大辞典 別巻 世界文字辞典』三省堂

郡史郎（2020）『日本語のイントネーション—しくみと音読・朗読への応用』大修館書店

後藤明（2017）『世界神話学入門』講談社

後藤斉（2003）「言語理論と言語資料—コーパスとコーパス以外のデータ」『日本語学』22: pp.6-15.

小林多寿子（編著）（2010）『ライフストーリー・ガイドブック—ひとがひとに会うために—』嵯峨野書院

小堀桂一郎（1978）『イソップ寓話　その伝承と変容』中央公論新社

小山亘（2016）「メタコミュニケーション論の射程—メタ語用的フレームと社会言語科学の全体—」『社会言語科学』19（1）: pp.6–20.

斎藤環（2006）『戦闘美少女の精神分析』筑摩書房

斎藤美奈子（2001）『紅一点論—アニメ・特撮・伝記のヒロイン像』筑摩書房

斎藤兆史（2009）「文体論の歴史と展望」斎藤兆史（編）『言語と文学』pp.201–235. 朝倉書店

榊原悟（監修）（2012）『すぐわかる絵巻の見かた 改訂版』東京美術

坂原茂（1985）『日常言語の推論』東京大学出版会

坂部恵（1990）『語り』弘文堂

笹原和俊（2021）「フェイクニュースはなぜ拡散するのか？」未来の図書館研究所第6回シンポジウム「図書館とポスト真実」2021年11月8日（https://www.miraitosyokan.jp/future_lib/symposium/6th/lib_and_post_truth2.pdf）

菅原和孝（1996）「民族誌としての語り」宮岡伯人（編）『言語人類学を学ぶ人のために』pp.109–142. 世界思想社

杉藤美代子（1996; 2003）『声に出して読もう！―朗読を科学する―』明治書院

杉藤美代子・森山卓郎（2007）『音読・朗読入門―日本語をもっと味わうための基礎知識―』岩波書店

鈴木聡志（2007）『会話分析・ディスコース分析―ことばの織りなす世界を読み解く』新曜社

鈴木雅雄（2017）「フキダシのないセリフ―私はあなたの声を作り出す」鈴木雅雄・中田健太郎（編）『マンガ視覚文化論―見る、聞く、語る』pp.123-151. 水声社

関敬吾（編）（1950–1958）『日本昔話集成』全6冊 角川書店（関敬吾著・小澤俊夫補訂『日本昔話の型』小澤昔ばなし研究所2013に末尾の「昔話の型」が再録）

瀬田貞二（1980）『幼い子の文学』中央公論新社

高田明典（2020）「物語の訴求構造分析の理論と手法及び応用事例」IEICE Fundamentals Review14（2）: pp.118-137.

高田明典・竹野真帆・津久井めぐみ（2019）『物語の力―物語の内容分析と表現分析―』大学教育出版

高橋英彦（2014）「文章が創発する社会的情動の脳内表現」苧阪直行（編）『小説を愉しむ脳―神経文学という新たな領域―』pp.93–104. 新曜社

高橋安澄（2017）「TRC MARCの構築―図書館と利用者のための書誌データベースを目指して―」『情報管理』59（11）: pp.732–742.

高畑勲（1999）『十二世紀のアニメーション―国宝絵巻物に見る映画的・アニメ的なるもの』徳間書店

竹内オサム（2005）『マンガ表現学入門』筑摩書房

竹宮惠子・内田樹（2014）『竹と樹のマンガ文化論』小学館

たちばなやすひと（2021）『「物語」の見つけ方―夢中になれる人生を描く思考法―』クロスメディア・パブリッシング

立川健二（2000）『ポストナショナリズムの精神』現代書館

谷崎潤一郎（1938）「源氏物語の現代語訳について」『中央公論』53（2）: pp.575–580.

田畑智司（2014）「序文」岸江信介・田畑智司（編）『テキストマイニングによる言語研究』ひつじ書房

玉上琢彌（1966; 2003）『源氏物語音読論』岩波書店（底本『源氏物語研究―源氏物語評釈　別巻一』角川書店1966）

月本昭男（1996）『ギルガメシュ叙事詩』岩波書店

土田知則・神郡悦子・伊藤直哉（1996）『現代文学理論―テクスト・読み・世界―』新曜社

堤智昭・小木曽智信（2023）「歴史的資料を対象とした複数のUniDic辞書による形態素解析支援ツール『Web 茶まめ』」『情報処理学会論文誌』64（3）: pp.749–757. http://doi.org/10.20729/00225271

坪内逍遥（1985–1986）『小説神髄』松月堂

寺田寅彦（1933）「津浪と人間」『鉄塔』（「寺田寅彦全集　第七巻」岩波書店1997年所収）

寺村秀夫（1984）『日本語のシンタクスと意味II』くろしお出版

鳥飼玖美子（2013）『よくわかる翻訳通訳学』ミネルヴァ書房

中野隆正（1998）「『エーレンベルグ初稿』と創作としてのグリム童話」『神奈川歯科大学　基礎科学論集：教養課程紀要』16: pp.101–105.

中村敏枝（1995）「メディアにおける「間」の心理学的研究」『感性情報処理の情報学・心理学的研究』平成4–6年度科学研究費補助金（重点領域研究）研究成果報告書 pp.171–176.

中村敏枝（1996）「間？」『シンポジウム　人文科学とコンピュータ』pp.105–114.

中村敏枝（1997）「スピーチの内容と「間」の関係」『日本心理学会第61回大会発表論文集』p.107.

中村敏枝（2002）「「間」の感性情報」『日本ファジイ学会誌』14（1）: pp.15-21.

中村敏枝（2009）「コミュニケーションにおける「間」の感性情報心理学」『音声研究』13（1）: pp.40-52.

中村元（1991）「ブッダの生涯」1991年10月収録、CD版　新潮社（2007）

難波功士（2007）「メディアとサブカルチャー」『マス・コミュニケーション研究』70: pp.29-39.

野口裕二（2002）『物語としてのケア―ナラティブ・アプローチの世界へ―』医学書院

野田尚史（1992）「テンスから見た日本語の文体」『文化言語学―その提言と建設―』pp.592-579. 三省堂

秦かおり・村田和代（編）（2020）『ナラティブ研究の可能性―語りが写し出す社会―』ひつじ書房

畑村洋太郎（2000）『失敗学のすすめ』講談社

樋口万里子・大橋浩（2004）「節を超えて―思考を紡ぐ情報構造―」大堀壽夫（編）『認知コミュニケーション論』pp.101-136. 大修館書店

彦坂佳宣（2005）「原因・理由表現の分布と歴史―『方言文法全国地図』と過去の方言文献との対照から―」『日本語科学』17: pp.65-89.

平岡雅美（2006）「物語文教材における挿絵の機能と問題―「ごんぎつね」の挿絵比較と読解の差異―」『全国大学国語教育学会発表要旨』110: pp.215-218.

福田怜生（2018）「広告の物語性と情報提供性が広告態度に及ぼす影響―広告形式における表現特性の尺度開発と影響の検討―」『マーケティングジャーナル』38（2）: pp.91-106.

藤井洋子（2018）「「個を基体とする言語行動」と「場を基体とする言語行動」―英語・中国語・日本語・韓国語・タイ語の比較より―」『社会言語科学』21（1）: pp.129-145.

堀正広（2004）「資料：日本におけるDickensの言語・文体研究書誌」『海外事情研究』31（2）: pp.143-149. 熊本学園大学

本多啓（2005）『アフォーダンスの認知意味論―生態心理学から見た文法現象』東京大学出版会

牧野成一（1983）「物語の文章における時制の転換」『月刊言語』pp.109-117. 大修館

正宗白鳥（1933）「英訳『源氏物語』という文章」『改造』昭和八年九月文芸時評

町田健・籾山洋介（1995）『よくわかる言語学入門　解説と演習』バベル・プレス

松岡正剛（2001）『知の編集工学』朝日新聞出版

松田隆夫（1995）『視知覚』培風館

松田美佐（2014）『うわさとは何か―ネットで変容する「最も古いメディア」―』中央公論社

松原好次（2006）「ハワイ語活性化運動の現況－ナーヴァヒー校卒業生に対する追跡調査報告」『電気通信大学紀要』19（1・2合併号）: pp.117-128.

松村一男（2018）『神話学入門』講談社

松本克己（2007）『世界言語のなかの日本語―日本語系統論の新たな地平』三省堂

松本克己（2016）『ことばをめぐる諸問題―言語学・日本語論への招待』三省堂

松本弥（2018）『ヒエログリフを書いてみよう　読んでみよう―古代エジプト文字への招待―』白水社

三隅譲二（1991）「都市伝説―流言としての理論的一考察―」『社会学評論』42: pp.7-31.

南博（1983）「序説－間とは何か」南博（編）『間の研究』講談社

村上征勝（2002）『文化を計る―文化計量学序説―』朝倉書店

メイナード・泉子（1993）『会話分析』くろしお出版

メイナード・泉子（2012）『ライトノベル表現論－会話・創造・遊びのディスコースの考察』明治書院

矢島文夫（1998）『ギルガメシュ叙事詩』筑摩書房

柳田國男（1933）『桃太郎の誕生』三省堂

柳田國男（1943）『昔話覚書』三省堂

柳田國男（1948）『日本昔話名彙』日本放送出版協会

山田仁史 (2017)『新・神話学入門』朝倉書店

吉本隆明 (1990)『言語にとって美とはなにかⅡ』KADOKAWA

和辻哲郎 (1922)「源氏物語について」『思想』9月号 (『日本精神史研究』岩波書店, 2005年所収)

Aarne, Antti (1910), Verzeichnis der Märchentypen. Helsinki: Folklore Fellows Communications (FFC), 3.

Ariel, Mira (1988), Referring and accessibility. *Journal of Linguistics* 24: pp.67-87.

Aristotle. De Arte Poetica Liber. Translated by R. Kassel, Oxford, 1965. (松本仁助・岡道男 (訳)『アリストテレース詩学・ホラーティウス詩論』岩波書店, 1997)

Bartlett, Frederic C. (1932), *Remembering: A Study in Experimental and Social Psychology*. Cambridge: Cambridge University Press.

Bauman, Richard (1986), *Story, Performance and Event: Contextual Studies of Oral Narrative*. Cambridge: Cambridge University Press.

Becker, Howard S. (1963), *Outsiders: Studies in the Sociology of Deviance*. The Free Press. (村上直之 (訳)『完訳 アウトサイダーズ―ラベリング理論再考―』現代人文社, 2011)

Berlin, Brent & Paul Kay (1969), *Basic Color Terms: Their Universality and Evolution*. Berkeley: University of California Press.

Berman, Ruth A. & Dan I. Slobin (1994), *Relating Events in Narrative: A Crosslinguistic Developmental Study*. Hillsdale, NJ: LEA Publishers.

Besnier, Niko (2009), *Gossip and the Everyday Production of Politics*. University of Hawaii Press.

Biber, Douglas (1988), *Variation across Speech and Writing*. Cambridge: Cambridge University Press.

Boyd, Brian (2017), The evolution of stories: from mimesis to language, from fact to fiction. *WIREs Cognitive Science*, 1 (16). Wiley Periodicals, Inc. (https://wires.onlinelibrary.wiley.com/doi/10.1002/wcs.1444)

Bransford, John. D. & Marcia K. Johnson (1972), Contextual prerequisites for understanding: Some investigations of comprehension and recall. *Journal of Verbal Learning and Verbal Behavior*, 11: pp.717–726.

Bruner, Jerome (1990), *Acts of Meaning*. Cambridge, MA: Harvard University Press.

Bruner, Jerome (1996), *The Culture of Education*. Cambridge, MA: Harvard University Press. (岡本夏木・池上貴美子・岡村佳子 (訳)『教育という文化』岩波書店, 2004)

Bruner, Jerome (2002), *Making Stories: Law, Literature, Life*. Cambridge, MA: Harvard University Press. (岡本夏木・吉村啓子・添田久美子 (訳)『ストーリーの心理学　法・文学・生をむすぶ』ミネルヴァ書房, 2007)

Burkert, Walter (1996), *Creation of the Sacred: Tracks of Biology in Early Religions*. Cambridge, MA: Harvard University Press. (杉浦俊輔 (訳)『人はなぜ神を創りだすのか』青土社, 1998)

Caillois, Roger (1958), *Les Jeux et les Hommes: Le Masque et la Vertige*. Paris: Gallimard. (多田道太郎・塚崎幹夫 (訳)『遊びと人間』講談社, 1990)

Campbell, Joseph (1949), *The Hero with a Thousand Faces*. Bollingen Paperback Printing. (倉田真木・斎藤静代・関根光宏 (訳)『千の顔をもつ英雄　上・下』早川書房, 2015)

Campbell, Joseph & Bill Moyers (1988), *The Power of Myth*. Apostrophe S Productions, Inc. (飛田茂雄 (訳)『神話の力』早川書房, 2010)

Chafe, Wallace (ed.) (1980), *The Pear Stories: Cognitive, Cultural and Linguistic Aspects of Narrative Production*. Norwood, NJ: Ablex.

Chafe, Wallace (1982), Integration and involvement in speaking, writing, and oral literature. Deborah Tannen (ed.) *Spoken and Written Language: Exploring Orality and Literary*, pp.35–53. Norwood, NJ: Ablex.

Chafe, Wallace (1985), Linguistic differences produced by differences between speaking and writing. Olson, D.

R., Torrance, N. & Hildyard, A. (eds.) *Literacy, Language, and Learning: The Nature and Consequences of Reading and Writing*, pp.105–123. Cambridge: Cambridge University Press.

Chatman, Seymour (1978), *Story and Discourse: Narrative Structure in Fiction and Film*. Ithaca: Cornell University Press.

Clancy, Patricia M. (1982), Written and spoken style in Japanese narratives. Deborah Tannen (ed.) *Spoken and Written Language: Exploring Orality and Literary*, pp.55–76. Norwood NJ: Ablex.

Cohn, Neil (2013), *The Visual Language of Comics: Introduction to the Structure and Cognition of Sequential Images*. London, UK: Bloomsbury. (コーン，ニール (2013) 中澤潤 (訳)『マンガの認知科学：ビジュアル言語で読み解くその世界』北大路書房，2020)

Comrie, Bernard (1981), *Language Universals and Linguistic Typology: Syntax and Morphology*. Blackwell Publishers. (松本克己・山本秀樹 (訳)『言語普遍性と言語類型論』ひつじ書房，2001)

Crystal, David (2000), *Language Death*. Cambridge: Cambridge University Press. (斎藤兆史・三谷裕美 (訳)『消滅する言語―人類の知的遺産をいかに守るか』中央公論社，2004)

Derrida, Jacque (2001), *Deconstruction Engaged: The Sydney Seminars*. Paul Patton & Terry Smith (eds.) Sydney: Power Publications. (谷徹・亀井大輔 (訳)『デリダ, 脱構築を語る―シドニー・セミナーの記録―』岩波書店，2005)

Dunbar, Robin (2010), *How Many Friends Does One Person Need?* Cambridge, MA: Harvard University Press. (藤井留美 (訳) ロビン・ダンバー『友達の数は何人？　ダンバー数とつながりの進化人類学』インターシフト，2011)

Dundes, Alan (1964), *The Morphology of North American Indian Folktales*. Helsinki: Suomalainen Tiedeakatemia. (池上嘉彦 (訳)『民話の構造―アメリカインディアンの民話の形態論―』大修館書房，1980)

Edelsky, Carole (1981), Who's got the floor? *Language in Society*, 10(3): pp.383–421.

Eder, Donna. J. & Janet L. Enke (1991), The structure of gossip: Opportunities and constraints on collective expression among adolescents. *American Sociological Review*, 56(4): pp.494–508.

Fisher, Walter. R. (1984), Narration as a human communication paradigm: The case of public moral argument. *Communication Monographs*, 52: pp.347–367.

Fitzmaurice, James (2007), Historical linguistics, literary interpretation, and the romances of Margaret Cavendish. Susan Fitzmaurice and Irma Taavitsainen (ed.) *Methods in Historical Pragmatics*, pp.267–284. Berlin: Mouton de Gruyter.

Fletcher, Charles (1994), Levels of representation in memory for discourse. *Handbook of Psycholinguistics*, pp.589–607. Academic Press.

Forster, Edward M. (1927), *Aspects of the Novel*. NY: Harcourt Brace & Company.

Genette, Gérard (1972), *Discours du Récit, Essay de Méthode*. Figures III, Paris: Seuil. (『物語のディスクール―方法論の試み』ジェラール・ジュネット, 花輪光・和泉 涼一 (訳) 水声社，1985)

Georgakopoulou, Alexandra (2011), Narrative analysis. Ruth Wodak, Barbara Johnstone, Paul Kerswill (eds.) *The SAGE Handbook of Sociolinguistics*. Los Angeles/London/New Delhi/Singapore/Washington, DC: The SAGE Publications (アレクサンドラ・イェルガコポロ 「ナラティブ分析」佐藤彰・秦かおり『ナラティブ研究の最前線―人は語ることで何をなすのか―』ひつじ書房，2013: pp.1–42.)

Gergen, Kenneth J. (1994), *Realities and Relationships: Soundings in Social Construction*. Cambridge, MA: Harvard University Press. (永田素彦・深尾誠 (訳) ケネス・J・ガーゲン『社会構成主義の理論と実際―関係性が現実をつくる―』ナカニシヤ出版，2004)

Gergen, Kenneth J. (1999), *An Invitation to Social Construction*. Thousand Oaks and New Delhi: Sage Publications of London. (東村知子 (訳) ケネス・J. ガーゲン (著)『あなたへの社会構成主義』ナカニシヤ

出版, 2004）

Gergen, Kenneth J. (2009), *Relational Being: Beyond Self and Community*. Oxford University Press. （鮫島輝美・東村知子 (訳)『関係からはじまる―社会構成主義がひらく人間観』ナカニシヤ出版, 2020）

Grice, H. Paul (1975), Logic and Conversation. In P. Cole & J. Morgan(eds.), *Syntax and Semantics*, vol 3: Speech Acts, pp.41–58. New York: Academic Press.

Gundel, Jeanette K., Nancy Hedberg, & Ron Zacharski (1993), Cognitive status and the form of referring expressions in discourse. *Language*, 69(2): pp.274–307.

Hamburger, Käte (1973), *Die Logik der Dichtung*. Stuttgart: Klett. (J. Rose (tr.) *The Logic of Literature*. Indiana University Press.)

Harari, Yuval Noah (2018), *21 Lessons for the 21st Century*. （柴田裕之 (訳) ユヴァル・ノア・ハラリ『21世紀の人類のための21の思考―12 Lessons―』河出書房, 2019）

Holmes, Janet (1997), Struggling beyond Labov and Waletzky, M. Bamberg (ed.) Oral versions of personal experience: three decades of narrative analysis, *Journal of Narrative and Life History*, 7(1–4): pp.91–96.

Hopper, Paul J. (1979), Aspect and foregrounding in discourse. *Syntax and Semantics*, 12: *Discourse and Syntax*, pp.213–241, Academic Press.

Hopper, Paul J. & Sandra Thompson (1980), Transitivity in grammar and discourse. *Language*, 56: pp.251–299.

Huizinga, Johan (1938), *Homo Ludens: Proeve Ener Bepaling Van Het Spelelement Der Cultuur*. Groningen, Wolters-Noordhoff cop. 1985. Original Dutch edition. （高橋英夫 (訳)『ホモ・ルーデンス』中央公論新社, 1973）

Jakobson, Roman (1960), Linguistics and Poetics. T. A. Sebeok (ed.) *Style in Language*, pp.350–377. Cambridge, MA: MIT Press. （川本茂雄 (監修)『一般言語学 Jakobson, Roman, Essais de Linguistique Général』みすず書房に再録, 1973）

Jameson, Fredric (1990), *Postmodernism or, the Cultural Logic of Late Capitalism*. Durham, NC: Duke University Press.

Jefferson, Gail (1978), Sequential aspects of storytelling in conversation. J. Schenkein (ed.) *Studies in the Organization of Conversational Interaction*, pp.219–248. NY: Academic Press.

Jefferson, Gail (2004), Glossary of transcript symbols with an introduction. G. H. Lerner (ed.) *Conversation Analysis: Studies from the First Generation*, pp.13–23. Philadelphia: John Benjamins.

Johnson-Laird, Philip N. (1983), *Mental Models*. Cambridge: Cambridge University Press. （海保博之 (監修) AIUEO (訳)『メンタルモデル』産業図書, 1988）

Kapferer, Jean Nöel (1987), *Rumeurs*. Paris: Éditions du Seuil. （古田幸夫 (訳)『うわさ―もっとも古いメディア』法政大学出版局, 1988; 1993増補版）

Kay, Paul & Chad K. McDaniel (1978) The Linguistic significance of the meanings of basic color terms, *Language*, 54(3): pp.610–646.

Kintsch, Walter (1998), *Comprehension: A Paradigm for Cognition*. Cambridge: Cambridge University Press.

Koch, Peter & Wulf Oesterreicher (1985), Sprache der Nähe—Sprache der Distanz: Mündlichkeit und Schriftlichkeit im Spannungsfeld von Sprachtheorie und Sprachgeschichte. *Romanistisches Jahrbuch* 36: pp.15–43.

Labov, William (1972), The transformation of experience in narrative syntax. *Language in the Inner City*. Philadelphia, PA: University of Pennsylvania Press.

Labov, William & Joshua Waletzky (1967), Narrative analysis: Oral versions of personal experience. J. Helm (ed.) *Essays on the Verbal and Visual Arts*, pp.12–44. Seattle, WA: University of Washington Press.

Labrune, Laurence (2012), *The phonology of Japanese*. Oxford: Oxford University Press.

Levie, W. Howard, & Richard Lentz (1982), Effects of text illustrations: A review of research. *Educational Communication and Technology Journal*, 30: pp.195–232.

Lévi-Strauss, Claude (1958), *Anthropologie Structurale*. Paris: Librairie Plon. (荒川幾男・生松敬三・川田順造・佐々木明・田島節夫 (訳)『構造人類学』みすず書房, 1972)

Lévi-Strauss, Claude (1962), *La Pensée Sauvage*. Paris: Librairie Plon. (大橋保夫 (訳)『野生の思考』みすず書房, 1976)

Lévi-Strauss, Claude (1971), *Mythologiques L'Homme Nu*. Paris: Librairie Plon. (吉田禎吾・木村秀雄・中島ひかる・廣瀬浩司・瀧浪幸次郎 (訳)『神話論理 4-1 裸の人 1』みすず書房, 2008)

Lévi-Strauss, Claude (1979),『クロード・レヴィ＝ストロース日本講演集 構造・神話・労働』大橋保夫 (編) みすず書房

Malinowski, Bronisław (1937), The dilemma of contemporary linguistics: Review of M.M.Lewis (1936), Infant Speech: *A Study of the Beginnings of Language*, London: Kegan Paul. *Nature* 140: pp.172–173.

Martin, Emily (1987), *The Woman in the Body: A Cultural Analysis of Reproduction*. Boston, MA: Beacon.

Martinez, Matias & Michael Scheffel (1999) *Einfuehrung in die Erzaehltheorie*. C.H.Beck. (林捷・末永豊・生野芳徳 (訳) マティアス マルティネス・ミヒャエル シェッフェル『物語の森へ—物語理論入門』法政大学出版局, 2006)

McLuhan, Marshall (1962), *The Gutenberg Galaxy: The Making of Typographic Man*. University of Toronto Press. (森常治 (訳)『グーテンベルクの銀河系—活字人間の形成—』みすず書房, 1986)

Mendenhall, Thomas C. (1901), A mechanical solution of a literary problem. *Popular Science Monthly*, 60(2): pp.97–105.

Mulholland, Joan (1996), A series of story turns: Intertextuality and collegiality. *Text*, 16(4): pp.535–555.

Nevins, M. Eleanor & Thomas J. Nevins (2011) "They don't know how to ask": Pedagogy, storytelling, and the ironies of language endangerment on the White Mountain Apace Reservation. Kroskrity, Paul V. (ed.) *Telling Stories in the Face of Danger: Language Renewal in Native American Communities*, pp. 129–150. Norman, OK: University of Oklahoma Press.

Nida, Eugene (1964; 2000), Principles of correspondence. Lawrence Venuti (ed.) *The Translation Studies Reader*, pp.126–140. London: Routledge.

Olrik, Axel (1919), *Principles for Oral Narrative Research*. Folkelige Afhandlinger.

Olson, Randy (2015), *Houston, We Have a Narrative: Why Science Needs Story*. Chicago: University of Chicago Press. (坪子理美 (訳)『なぜ科学はストーリーを必要としているのか』慶應義塾大学出版会, 2018)

Ong, Walter J. (1982), *Orality and Literacy*. The English Agency Ltd. (桜井直文・林正寛・糟谷啓介 (訳)『声の文化と文字の文化』藤原書店, 1991)

Pichert, James, W. & Richard C. Anderson (1977), Taking different perspectives on a story. *Journal of Educational Psychology*, 69(4): pp.309–315.

Plato. Platonis Opera, 5 vols., Translated by J. Burnet, Oxford Classical Texts. 1899–1906. (底本) (田中美知太郎・藤沢令夫 (訳)『プラトン全集11 クレイポトン・国家』岩波書店, 1976)

Propp, Vladimir A. (1928), *Morphology of the Folktale*. Leningrad. (The Hague: Mouton,1958; Austin: University of Texas Press,1968) (北岡誠司・福田美智代 (訳) ウラジミール・Я. プロップ『昔話の形態学』水声社, 1987)

Propp, Vladimir A. (1967),『Фольклор и действительность (口承文芸と現実)』モスクワ：ナウカ (齋藤君子 (訳)『魔法昔話の研究 口承文芸学とは何か』講談社, 2009)

Queneau, Raymond (1981), *Exercises in Style*. New York: New Directions. (朝比奈弘治 (訳)『文体練習』朝日出版社, 1996)

Rank, Otto (1908), *Der Mythus von der Geburt des Helden*. (野田倬 (訳)『英雄誕生の神話』人文書院, 1986)

Reagan, Andrew J, Lewis Mitchell, Dilan Kiley, Christopher M. Danforth & Peter Sheridan Dodds (2016), The emotional arcs of stories are dominated by six basic shapes. *EPJ Data Science* 5(31), Springer Open Journal.

Richards, Ivor A. (1960), Poetic process and literary analysis. Sebeok, T.A. (ed.) *Style in Language*, pp.9–23. Cambridge, MA: MIT Press.

Ricœur, Paul (1983), *Temps et Recit* I・II・III. Paris: Editions du Seuil. (久米博 (訳)『時間と物語 I・II・III』新曜社, 1987)

Rölleke, Heinz (1985), *Die Märchen der Brüder Grimm*. München. (小澤俊夫 (訳)『グリム兄弟のメルヒェン』岩波書店, 1990)

Rumelhart, David E. (1975), Notes on a schema for stories. D. Bobrow & A. Collins (eds.) *Representation and Understanding: Studies in Cognitive Science*, pp.211–235. New York: Academic Press.

Ryan, Marie-Laure (1991), *Possible Worlds, Artificial Intelligence, and Narrative Theory*. (岩松正洋 (訳)『可能世界・人工知能・物語理論』水声社, 2006)

Sacks, Harvey, Emanuel A. Schegloff & Gail Jefferson (1974), A simplest systematics for the organization of turn-taking for conversation. *Language,* 50(4): pp.696–735. (西阪仰 (訳)『会話分析基本論集―順番交替と修復の組織』世界思想社, 2010)

Sasahara Kazutoshi, Wen Chen, Hao Peng, Giovanni Luca Ciampaglia, Alessandro Flammini & Filippo Menczer (2021), Social influence and unfollowing accelerate the emergence of echo chambers. *Journal of Computational Social Science*, 4: pp.381–402.

de Saussure, Ferdinand (1916), *Cours de Linguistique Générale*. Paris: Payot. (『ソシュール 一般言語学講義』小林英夫 (訳) 岩波書店, 1940)

Schank, Roger C. & Robert P. Abelson (1977), *Scripts, Plans, Goals, and Understanding*. Hillsdale, NJ: Lawrence Erlbaum.

Schegloff, Emanuel A. (1997), Narrative analysis: thirty years later. M. Bamberg (ed.) Oral versions of personal experience: *Journal of Narrative and Life History*, 7(1–4): pp.97–105.

Shiller, Robert J. (2019), *Narrative Economics: How Stories Go Viral & Drive Major Economic Events*. NJ: Princeton University Press. (山形浩生 (訳)『ナラティブ経済学　経済予測の全く新しい考え方』東洋経済新報社, 2021)

Sperber, Dan & Deirdre Wilson (1986; 1995), *Relevance: Communication and Cognition*. Oxford UK/Cambridge USA: Blackwell. (内田聖二 (他訳)『関連性理論―伝達と認知』研究社, 1999)

Spitzer, Leo (1948), *Linguistics and Literary History, Essays in Stylistics*. NJ: Princeton University Press.

Stanzel, Franz Karl (1979), *Theorie des Erzählens*. Gottingen: Vandenhoeck und Ruprecht. (Charlotte Goedsche(tr.) *A Theory of Narrative*, Cambridge: Cambridge University Press. 1984)

Stivers, Tanya (2008), Stance, alignment and affiliation during story telling: When nodding is a token of preliminary affiliation. *Research on Language in Social Interaction*, 41: pp.29–55.

Taylor, John R. (1989, 1995, 2003), *Linguistic Categorization: Prototypes in Linguistic Theory*. London : Oxford University Press. (『認知言語学のための14章 第3版』辻幸夫・鍋島弘治郎・篠原俊吾・菅井三実 (訳) 紀伊國屋書店, 2008)

Thompson, Stith (1946), *The Folktale*. NY: Holt, Rinehart & Winston. (荒木博之・石原綏代 (訳)『民間説話 世界の昔話とその分類』八坂書房, 2022)

Thompson, Stith (1961), *The Types of the Folktale: A Classification and Bibliography*. Antti Aarne's Verzeichnis der Märchentypen. Helsinki: FFC184.

Thorndyke, Perry W. (1977), Cognitive structures on comprehension and memory of narrative discourse. *Cog-

nitive Psychology 9: pp.77–110.

Umiker-Sebeok, D. Jean (1977), Preschool children's intraconversational narratives. *Journal of Child Language*, 6: pp.91–109.

Uther, Hans-Jörg (2011), *The Types of International Folktales: A Classification and Bibliography. Based on the system of Antti Aarne and Stith Thompson*. FF Communications no.284–286. Helsinki: Suomalainen Tiedeakatemia. (小澤俊夫 (監修) 加藤耕義 (訳)『国際昔話話型カタログ―分類と文献目録』小澤昔ばなし研究所, 2016)

Valla, Lorenzo (1440), *De falso credita et ementita Constantini Donatione declamatio.* (Coleman, B. C. (tr.)(1922) *Discourse on the Forgery of the Alleged Donation of Constantine*. New Haven: Yale University Press.)

Voglar, Christopher (1992, 1998, 2007, 2020), *Mythic Structure for Writers*. Michael Wiese Productions. (府川由美恵 (訳)『作家の旅 ライターズ・ジャーニー 神話の法則で読み解く物語の構造』フィルムアート社, 2022)

White, Michael & David Epston (1990), *Narrative Means to Therapeutic Ends*. NY: W. W. Norton.

Widdowson, Henry G. (1975), *Stylistics and the Teaching of Literature*. London: Longman. (田中英史・田口孝夫 (訳)『文体論から文学へ―英語教育の方法―』渓流社, 1989)

索引

あとがき

　人は自分の試練に対峙し、何度もあきらめながらも、その一方で、白い月、霧の通勤路、道で出会った猫など、自分だけが知っている物語があり、希望との間を揺れ動きながら生きている。

　物語や小説、マンガは、強制されて読むのではなく、遊びの一種として「面白い」から読まれ続けてきた。面白さを内蔵しつつ、文化現象を含めた広い視野からことばの研究を提示したい、それが本書の意図である。物語の面白さと繋がることで、実証科学としての言語学を、ところどころ読者の関心を煽りながら、その魅力を届けるよう努めた。

　本書は物語を入り口に、ことばの世界を見てきた。断片としてのことばを個別に羅列するのではなくて、物語や語られることばの実際を提示することにより、一貫した、印象に残る話にしたかった。物語は縦糸であり、それを支えることばのしくみは横糸である。

　本書をまとめる過程で、言語学のみならず多くの絵本や児童文学、昔話、神話など、広い分野の本を収集し、検討してきた。『ゲゲゲの鬼太郎』や『ONE PIECE』がどう成立したか、手に取って確かめた。読む文献が芋づる式に増えていき、部屋中がマンガから言語理論に関する本まで、雑多な本で溢れていた。『星の王子さま』は多くの言語の翻訳本を実際に手に取り、本の装丁を含めて確かめた。『鳥獣戯画』も、（もちろん複製ではあるが）手に取り、絵巻を体感するとはどういうことなのか確かめた。絵巻とは異様に長すぎるものだった。大英博物館から許諾を得て送られてきた楔形文字の画像は、照射されて輝きを放っていた。それは粘土板に刻まれた文字の溝のすみずみまでを鮮明に捉えていた。

　本の世界に沈潜することは、一方では楽しかった。しかし、その一方で、膨大な文献をまとめ上げることに対する焦りや挫折を本書の執筆中、何度も味わった。希望と挫折の間を行ったり来たりしながら、夢、あるいは野望のようなものを抱えて暮らしてきた。

　本書には、ロゼッタストーンから都市伝説、データ・サイエンスなど多く

の事項が登場するが、「人―ことば―物語」の三者が織りなす世界観を描くことを目指した。

本書を執筆する過程で、恩師で京都大学名誉教授の山梨正明先生、私の勤務先の東北大学名誉教授の後藤斉先生をはじめ、多くの方にお世話になった。

山梨正明先生は、大学院修了後もことあるごとに励ましてくださった。いつもスピーディーに対応してくださり、電話で単刀直入に話されるスタイルは筆者の学生時代から変わらない。先生が言語学を相対的に捉え、国内外の文献を物凄い勢いで消化されていくのを、学生時代から感じてきた。京大の先生のゼミで読んだ John Taylor の *Linguistic Categorization* は、範疇化という一貫した観点で、ことばと言語理論を見渡した良書である。私が物語という一定の視点で言語学を語りたいと考えたとき、テイラーの書は私の心の片隅にあった。若い頃に出会った本は知らない間に息づいている。

後藤斉先生は、ロマンス語学、コーパス言語学、エスペラントをはじめとする国際語論など、広い分野に精通されている。大学をすでにご退職された先生に本書の草稿を送った私に、先生は懇切丁寧に多くのコメントを付してくださった。言語学のみならず文化・芸能に通じた先生のコメントは的確かつ精確で、本書を私の能力以上に修正することができた。先生とのやりとりは、この歳になって学ぶ場を得たような新鮮な時間であった。

鯨井綾希、津田智史、中西太郎、林青樺、我妻洋祐、風山彩綾、髙橋沙羅の諸氏には、本書を練り上げる過程で相談に乗ってもらい、読んだ感想を聞かせてもらった。これらの助言によって修正を重ねることができた。

本書の朗読音声はアナウンサーの橋本裕佳氏、東北大学のジスク・マシュー氏に読んでもらうことができた（音声はインターネット上で公開している）。東北大学大学院生の加順咲帆さんには素敵な絵を描いていただいた。そして、快く転載許可をくださった出版社や著者の方々には、厚く御礼申し上げる。これらの助けにより本書は視覚的、聴覚的に新しい次元を得た。

本書の編集では、ひつじ書房の森脇尊志さんに最後まで本当にお世話になった。多くの方に支えられて本書は成立した。

そして、なによりも、本書を手に取ってくださった読者の皆さんに、この場をかりて御礼申し上げる。

2024年1月　甲田直美

【著者紹介】

甲田直美（こうだ なおみ）

東北大学大学院文学研究科・教授
2000 年京都大学大学院人間・環境学研究科博士課程修了。
　博士（人間・環境学）。日本学術振興会特別研究員（DC,
　PD）、滋賀大学教育学部助教授、文部科学省在外研究員
　（Faculty Scholar, Department of Psychology, University of
　Massachusetts）を経て現職。
主著に『談話・テクストの展開のメカニズム—接続表現と談
　話標識の認知的考察—』（風間書房、2001 年）、『文章を理解
　するとは—認知の仕組みから読解教育への応用まで—』（ス
　リーエーネットワーク、2009 年）、『認知語用論』（くろしお
　出版、2016 年、共著）などがある。

物語の言語学—語りに潜むことばの不思議

Narrative Linguistics: The Wonders of Language in Narrative
Koda Naomi

発行　　　　2024 年 2 月 7 日　　初版 1 刷
　　　　　　2024 年 8 月 20 日　　　2 刷
定価　　　　2400 円＋税
著者　　　　ⓒ 甲田直美
発行者　　　松本功
ブックデザイン　大崎善治
印刷・製本所　株式会社 シナノ
発行所　　　株式会社 ひつじ書房
　　　　　　〒 112-0011 東京都文京区千石 2-1-2　大和ビル 2F
　　　　　　Tel.03-5319-4916　Fax.03-5319-4917
　　　　　　郵便振替 00120-8-142852
　　　　　　toiawase@hituzi.co.jp　https://www.hituzi.co.jp/

　　ISBN978-4-8234-1202-8　C0080

刊 行 書 籍 の ご 案 内

小説の描写と技巧

言葉への認知的アプローチ

山梨正明著　定価 3,400 円＋税

小説のフィクショナリティ

理論で読み直す日本の文学

高橋幸平・久保昭博・日高佳紀編　定価 4,000 円＋税

語りと主観性

物語における話法と構造を考える

阿部宏編　定価 7,800 円＋税

AI時代に言語学の存在の意味はあるのか？

認知文法の思考法

町田章著　定価 2,200 円＋税